France Choquette

Croque-mots

6e année

Cahier d'activités
pour les enfants de 11 et 12 ans

Trécarré
Une compagnie de Quebecor Media

Catalogage avant publication de la Bibliothèque nationale du Canada
Choquette, France

Croque-mots : cahier d'activités

2e éd.

Sommaire : 1. Pour les enfants de 6 et 7 ans – 2. Pour les enfants de 7 et 8 ans
3. Pour les enfants de 8 et 9 ans – 4. Pour les enfants de 9 et 10 ans – 5. Pour les enfants de 10 et 11 ans – 6. Pour les enfants de 11 et 12 ans.

ISBN 978-2-89568-203-5

1. Vocabulaire – Problèmes et exercices – Ouvrages pour la jeunesse. 2. Reconnaissance des mots – Problèmes et exercices – Ouvrages pour la jeunesse. 3. Apprentissage de paires associées – Problèmes et exercices – Ouvrages pour la jeunesse. I. Ducharme, Mario. II. Titre.

PC2445.C45 2004 448.2'076 C2004-940944-1

Nous reconnaissons l'aide financière du gouvernement du Canada par l'entremise du Programme d'Aide au Développement de l'Industrie de l'Édition pour nos activités d'édition.

Nouvelle édition préparée par :
Rivest et associés

Couverture :
Kuizin studio

Conception graphique et illustrations :
Christine Battuz

Mise en pages :
Infoscan Collette inc.

ISBN 978-2-89568-203-5

Dépot légal – 2004
Bibliothèque nationale du Québec

Imprimé au Canada

Les Éditions Trécarré
Groupe Librex inc.
Une compagnie de Quebecor Media
La Tourelle
1055, boul. René-Lévesque Est
Bureau 800
Montréal (Québec) H2L 4S5
Tél. : 514 849-5259
Téléc. : 514 849-1388

Distribution au Canada
Messageries ADP
2315, rue de la Province
Longueuil (Québec) J4G 1G4
Tél : 450 640-1234
Sans frais: 1 800 771-3022

Table des matières

Un voyage autour du monde! **7**
Présentation 8
Un échange des plus culturels... 9
Voyager à travers les mots 10
Course autour du monde 11
Mon dico en voyage 12
Un billet pour le paradis 13
Savoir reconnaître ses torts 14
Un climat diversifié 15
D'un pays à l'autre 16
Une nouvelle vision du monde 17
Le monde à l'envers 18
Des fêtes gourmandes 19
Des attraits touristiques intéressants 20
Des charades pour passer le temps 21
Musée des verbes 22
Tout un casse-tête! 23
Un immense globe terrestre 24
Festival des films du monde 25
L'harmonie sur Terre 26
À chaque mot son origine 27
Un pronom parmi tant d'autres 28
Des questions à poser! 29
Un monde compliqué 30

En route vers l'Amérique! **31**
Un continent qui vaut le détour! 32
À chacun sa recette 33
L'Amérique en folie! 34
Le cinéma américain 35
Une passion 36
Amérique du Sud en vue! 37
Une escalade dans les Rocheuses 38
À chacun sa bulle! 39
Le féminin l'emporte 40
Des touristes à la tonne! 41

Les mots de l'Amérique 42
Au pays des bandes dessinées 43
À chacun sa province ! 44
Continent légendaire 45
La Gaspésie : une région pleine de vie ! 46
Un voyage très spécial ! 47
On part ou on ne part pas ? 48
En route, poète ! 49
Un peu de soleil dans la vie ! 50
Des indices utiles 51
Des verbes peu familiers 52
Tornades au Canada ? 53
Tornades au Canada ? (*suite*) 54
Des chiffres universels 55

Allez, hop ! Voilà l'Europe ! 56
À ne pas manquer en France 57
Une leçon amusante 58
Une leçon amusante (*suite*) 59
Une escapade en Italie 60
Des drapeaux symboliques 61
Un code de symboles 62
Un message bien spécial ! 63
Vivre à Madrid… 64
Une ponctuation adéquate 65
Faire durer le plaisir 66
À la découverte des mots 67
Une histoire… à faire frissonner ! 68
Des mots étrangers 69
Et si nous partions en voyage ? 70
Dialoguer avec les gens de la place 71
Des cavernes invitantes 72
Des cavernes invitantes (*suite*) 73
Voyages à travers l'Europe 74
Un pour tous ! 75
Une valise pleine de mots 76
Un passe-temps à découvrir 77
Des idées exotiques 78
Quel méli-mélo ! 79

L'Afrique... très exotique ! 80

De magnifiques animaux d'Afrique 81
La vie en Afrique 82
As-tu un accent ? 83
Une famille africaine 84
D'extravagantes charades 85
Un voyage qui transforme 86
Une correspondance avec l'Afrique 87
La chaleureuse savane 88
Un monde caché 89
Tribus et attributs 90
Un désert de romans 91
On compte sur toi... 92
Des virelangues 93
Une fête à l'africaine 94
Une fête à l'africaine (*suite*) 95
Promenade au Kenya 96
Des mots cachés 97
Une imagination fertile 98
Où est l'intrus ? 99
Un genre à vérifier 100
Des mots et encore des mots 101
À chacun son proverbe ! 102
Le jeu des différences ! 103

J'ai des amis en Asie ! 104

Un repas typique 105
Un méli-mélo de mots 106
L'accent approprié 107
Que la fête commence ! 108
La vérité toute crue 109
En bref... 110
À toi l'honneur ! 111
Simple ou double ? 112
Le charme asiatique 113
Une énigme à résoudre 114
Des mots à découvrir 115
Qui prend pays prend nom 116
Un esprit créateur 117

Un voyage à l'autre bout du monde 118
Un voyage à l'autre bout du monde (*suite*) 119
Le plaisir de lire 120
À vos crayons! 121
Le temps présent 122
Un complexe simple 123

L'Océanie... tout un continent! 124
Des kangourous dans les jambes 125
Des expressions imagées 126
Des participes au passé 127
Un continent qui a de la classe 128
Des mots aux mille visages 129
Des accords à faire 130
Un continent aux nombreuses qualités 131
Un mot secret 132
C'est... plus que parfait! 133
Une image vaut mille mots 134
Une journée très spéciale 135
Qui? Que? Quoi? 136
Du singulier au pluriel 137

Le corrigé 138

Un voyage autour du monde !

Présentation

Hé ! Bonjour toi ! Je me présente, je suis Gontran, le sympathique crocodile qui te guidera au cours de tes activités en français. Avec moi, tu feras un tour du monde et tu découvriras les us et coutumes de plusieurs pays. J'espère que tu aimeras autant que moi croquer des mots, car plusieurs ne demandent qu'à être découverts par toi.

Sayonara !

Good Bye !

Adios !

Un échange des plus culturels...

Gontran a appris qu'il allait correspondre avec des Français de Saint-Tropez. Chaque élève de sa classe a reçu une fiche descriptive de son correspondant. Lis celle qui suit et remplis la tienne, comme si tu l'envoyais en France à ton tour.

Nom : Dutrisac
Prénom : Sacha
Ville : Saint-Tropez
Pays : France
Âge : 12 ans
Loisirs préférés : soccer, basket-ball, lecture, écoute de musique
Chanteuse ou chanteur préféré : Britney Spears
Actrice ou acteur préféré : Cameron Diaz
Membres de ma famille : 2 sœurs (Judith et Béatrice), 1 frère (Julien), mère (Bernadette), père (Didier)
Rêve : voyager dans l'espace
Signature : Sacha Dutrisac

Nom : ____________
Prénom : ____________
Ville : ____________
Pays : ____________
Âge : ____________
Loisirs préférés : ____________
____
Chanteuse ou chanteur préféré : ____________
Actrice ou acteur préféré : ____________
Membres de ma famille (prénoms) : ____________
____
____
Rêve : ____________
Signature : ____________

Voyager à travers les mots

Voici des séries de mots que tu connais.
Encercle le mot qui est bien orthographié dans chaque série.

1. dépars
   départ
   dépare

2. remercier
   remèrecier
   remersier

3. compte
   conpte
   compt

4. eure
   heure
   heur

5. électrique
   ellectrique
   électric

6. vère
   verre
   vêrre

7. repot
   repos
   repeau

8. front
   fronc
   frond

9. perssone
   persone
   personne

10. à l'envers
    à l'enverre
    à l'anvers

11. sœux
    seux
    ceux

12. intéligent
    intelligeant
    intelligent

13. nécèsaire
    nécessère
    nécessaire

14. brilante
    brillente
    brillante

15. aitendre
    étandre
    étendre

16. journeau
    journeaux
    journaux

Course autour du monde

Écris une question pour chacune des réponses suivantes.

Ex. : L'emblème du Canada est la feuille d'érable.

Quel est l'emblème du Canada?

1. Le vélo est le moyen de transport le plus utilisé en Chine.

____

2. C'est au Canada que l'on trouve des cabanes à sucre.

____

3. Les premiers Jeux olympiques ont eu lieu en Grèce.

____

4. Le yen est la monnaie du Japon.

____

5. Un des musées les plus connus à Paris est le Louvre.

____

6. La Belgique fait partie du continent de l'Europe.

____

7. Les kangourous symbolisent l'Australie.

____

8. Le souvlaki est un mets de la Grèce.

____

9. La Chine est le pays le plus peuplé.

____

10. C'est en Colombie que l'on cultive le plus de café.

____

Mon dico en voyage

Pendant l'un de ses voyages, Gontran s'est amusé à trouver des mots qui ont plus d'une définition. Repère les deux définitions qui correspondent à chacun des mots. Comme Gontran, biffe au fur et à mesure celles que tu choisis.

a) quartier → 6 10

b) suspendre → ______ ______

c) prodige → ______ ______

d) origine → ______ ______

e) veille → ______ ______

f) comédie → ______ ______

g) amende → ______ ______

h) taupe → ______ ______

i) régal → ______ ______

1. N. f. Sanction ou peine pécuniaire.
2. N. m. Vif plaisir pris à quelque chose.
3. N. f. Pièce de théâtre qui suscite le rire par la peinture des mœurs, des caractères ou une succession de situations inattendues.
4. N. f. Agent secret, espion placé dans un organisme pour acquérir des renseignements confidentiels.
5. V. Interrompre pour quelque temps.
6. ~~N. m. Portion d'une chose divisée en quatre parties.~~
7. N. f. Première manifestation, commencement, principe.
8. N. m. Fait, événement extraordinaire qui semble de caractère magique, surnaturel.
9. N. f. Journée qui précède celle dont on parle ou un événement particulier.
10. ~~N. m. Partie d'une ville ayant certaines caractéristiques ou une certaine unité.~~
11. N. f. État de quelqu'un qui est éveillé.
12. V. Fixer en haut et laisser pendre.
13. N. f. Mammifère presque aveugle, aux pattes antérieures larges et robustes, qui creuse des galeries dans le sol, où il chasse les insectes et les vers.
14. N. f. Milieu d'où quelqu'un est issu.
15. N. m. Mets particulièrement apprécié.
16. N. f. Peine infamante exigeant l'aveu public d'une faute, d'un crime.
17. N. f. Simulation de sentiments.
18. N. m. Personne d'un talent ou d'une intelligence rare, remarquable.

Un billet pour le paradis

Des membres de l'entourage de Gontran ont répondu à la question : « Quelle a été votre destination préférée ? ». Lis ces témoignages. Inscris la classe ainsi que l'antonyme de chacun des mots soulignés dans le tableau au bas de la page.

Croque-info

Un antonyme est le contraire d'un mot. Par exemple, *laid* est un antonyme de *beau*.

Au cours de mon précédent voyage, j'ai visité la Hollande. C'est le pays le plus intéressant que j'ai visité. J'y retournerais volontiers.

J'ai fait peu de voyages, mais j'ai adoré la France.

J'ai toujours hâte d'aller à Québec avec ma famille.

J'ai vu d'énormes baleines au cours de mon voyage à Tadoussac.

Je me souviens du TGV qui me berçait doucement et qui allait vers les différentes villes de la France.

Je skiais maladroitement sur les pentes en Suisse… mais c'était merveilleux.

Mot du texte	Classe du mot	Antonyme
1. précédent		
2. plus		
3. intéressant		
4. peu		
5. adoré		
6. toujours		
7. énormes		
8. doucement		
9. différentes		
10. maladroitement		

Savoir reconnaître ses torts

Gontran a écrit une lettre à son ami
pour tenter de régler un malentendu.
Il a oublié de conjuguer quelques verbes.
Peux-tu le faire pour lui ?

Salut Steve,

Tu aurai ________ pu m'attendr________ après l'école aujourd'hui.
J'aurais aim________ te parler au sujet de notre malentendu d'hier.
Nous auri________ dû nous écouter l'un l'autre plutôt que de nous
crier par la tête. Je sai________ que tu a ________ une bonne raison
de refuser mon invitation. Une fin de semaine à Toronto avec tes
parents… c'est spécial. J'aurais ador________ que tu puiss________
venir à la fête que j'organis________ pour mon anniversaire.
Avoir 12 ans, c'est important mais, sans toi, ce ne sera pas pareil.
J'aurai________ aimé le savoir avant, mais tu ne pouvai________ pas
prévoir. On oubli________ ça ! Tu es mon supercopain. Nous aurions
pu avoir énormément de plaisir ensemble, mais nous nous reprendrons
l'an prochain. J'espèr________ que tu ne m'en veu________ pas trop
pour les gros mots que je t'ai dits. Je les regrett________.

À bientôt,

Gontran

14

Un climat diversifié

Trouve des mots de la même famille que les mots suivants.

1. chaud
2. frais
3. climat
4. pluvial
5. froidement
6. brûler
7. gel
8. sécheresse
9. tiède
10. venteux
11. brumeux
12. avion

D'un pays à l'autre

Gontran navigue beaucoup dans Internet. Il aimerait bien que Sacha, son correspondant français, vienne le visiter un jour. Aide Gontran à convaincre Sacha que le Canada est un beau pays où il fait bon vivre. Tu dois lui donner au moins cinq bonnes raisons.

Une nouvelle vision du monde

Précise chaque nom commun à l'aide de deux adjectifs qualificatifs.
Fais preuve d'originalité et prête attention à l'accord des adjectifs.

Ex. : Un livre	scientifique	usagé
1. Une aventure		
2. Un pays		
3. Des automobiles		
4. Une ceinture		
5. Un bal		
6. Une coiffure		
7. Des maillots		
8. Une bouteille		
9. Un nuage		
10. Une terre		
11. Des arbres		
12. Une casquette		

Le monde à l'envers

Gontran est tout mélangé aujourd'hui. Il a même mélangé les lettres de certains mots de son devoir. Au-dessus de chaque mot souligné, corrige les erreurs de Gontran.

Les crocodiles

Les crocodiles snto de grands rpieetls à fortes mâchoires qui vvniet dans les luefevs et les lacs des régions chaudes. orqeLsu le crocodile pousse son cri, il vgtia. Il existe lserpuius sortes de crocodiles : le crocodile du liN, le gavial, le caïman à uetesInt et l'alligator. Un crocodile peut resumer jusqu'à sept mètres de lngo. Son énorme elueug contient plus de 56 dents, grandes, dures et piuontes. Les petits crocodiles se nourrissent rutstuo d'insectes ; les gndsra préfèrent les poissons, mais ils mangent asuis des oiseaux et d'autres niamuxa. Ah oui ! La peau du ertnev du crocodile est eiultisé pour fabriquer des sacs et des chaussures. uuQlle vie de croco !

Des fêtes gourmandes

Le texte suivant te présente une des passions de Gontran. Indique l'infinitif, le temps et le mode des verbes soulignés.

Une des sorties gastronomiques les plus courues de la région de Montréal <u>est</u>, sans contredit, les Fêtes gourmandes. Moi, crocodile gourmand <u>appréciant</u> la bonne cuisine, je suis au rendez-vous chaque année. Quel festin ! Accessible en voiture ou en métro, l'île Notre-Dame <u>regorge</u> d'odeurs exotiques chaque mois d'août depuis quelques années. La fête <u>dure</u> deux semaines. On y <u>découvre</u> des mets savoureux de nombreux pays. Plusieurs activités sont offertes telles que des spectacles, des concours, des tirages, des défilés, des danses et, bien sûr, des dégustations pour tous les goûts. Une fois le stationnement <u>payé</u>, les coupons de repas <u>achetés</u>, le tour est joué. Vous voilà dans un univers les plus colorés que vous <u>ayez visité</u>. Un tour du monde en une journée. Miam ! Que vous <u>goûtiez</u> au bison, à l'autruche ou au sanglier, tout est délicieux. Des chefs cuisiniers venus des quatre coins du monde vous font <u>partager</u> leurs secrets culinaires avec la plus grande fierté. Vous passerez une agréable journée. Bon appétit !

	Infinitif	Mode	Temps
1. est	être	indicatif	présent
2. appréciant			
3. regorge			
4. dure			
5. découvre			
6. payé			
7. achetés			
8. ayez visité			
9. goûtiez			
10. partager			

Des attraits touristiques intéressants

Gontran et sa sœur Lulu ne s'entendent pas sur la définition de certains mots. Lis les phrases et fais un ✓ à côté de celle où le mot est employé correctement.

1 Attrait

a) Gontran : La région du Lac-Saint-Jean attire beaucoup de touristes et possède plusieurs attraits touristiques intéressants. On aime cette région pour la beauté de la nature, pour son lac et, bien sûr, pour ses bleuets.

b) Lulu : Lorsqu'on voyage avec toute la famille, il nous arrive parfois d'arrêter à l'attrait touristique pour demander des renseignements.

2 Dépaysement

a) Gontran : J'ai alors donné mon passeport au douanier et il a écrit dessus « dépaysement » pour indiquer que j'allais dans un autre pays.

b) Lulu : J'ai lu qu'un voyage en Chine, c'est un dépaysement total. Tout est très différent.

3 Canicule

a) Gontran : Pour mes randonnées pédestres ou mes voyages, j'apporte toujours ma canicule. C'est très pratique pour conserver de l'eau fraîche.

b) Lulu : L'été passé, il y a eu une très grande canicule pendant les vacances. Pendant deux semaines il a fait une chaleur accablante.

4 Débarcadère

a) Gontran : L'énorme paquebot a accosté et les centaines de voyageurs ont traversé le débarcadère pour se rendre à destination.

b) Lulu : Mon amie m'a raconté qu'elle a dû emprunter le débarcadère pour se rendre au 25e étage d'un édifice.

Des charades pour passer le temps

Gontran aime bien résoudre des charades pour passer le temps en avion. Peux-tu l'aider ?

1. Mon premier suit 999. ______________
   Mon deuxième est utile pour dormir. ______________
   Mon troisième est une discipline scolaire où l'on dessine et bricole.
   ____
   Mon tout est un mot de même famille que *milliardaire.*
   Qui suis-je ? ______________

2. Mon premier est une construction en hauteur. ______________
   Mon second est un nom de même famille que *nager.* ______________
   Mon tout est l'action de tourner un film.
   Qui suis-je ? ______________

3. Mon premier est quelqu'un qui n'est pas vêtu. ______________
   Mon deuxième est utile pour ouvrir ou verrouiller une porte. ______________
   Mon troisième désigne ce qu'on respire. ______________
   Mon tout est relatif au noyau de l'atome et à l'énergie qui en est issue.
   Qui suis-je ? ______________

4. Mon premier est de la terre détrempée. ______________
   Mon deuxième est le contraire de « vite ». ______________
   Mon troisième est la 7e lettre de l'alphabet. ______________
   Mon tout est une personne qui fait et vend du pain.
   Qui suis-je ? ______________

Musée des verbes

Aide Gontran à conjuguer ces verbes au conditionnel présent.

Horizontalement

2. Pouvoir, 2e pers. sing.
4. Écrire, 2e pers. sing.
5. Croire, 3e pers. sing.
10. Saluer, 3e pers. plur.
11. Briser, 1re pers. sing.
12. Savoir, 2e pers.plur.
13. Rendre, 3e pers. sing.
15. Devoir 3e pers. sing.
16. Conduire, 3e pers. sing.
18. Trotter, 3e pers. plur.
19. Jaser, 2e pers. sing.
20. Admirer, 1re pers. plur.
21. Comprendre, 1re pers. plur.
22. Prédire, 2e pers. plur.
23. Exposer, 1re pers. sing.
24. Débrancher, 2e pers. plur.

Verticalement

1. Communiquer, 2e pers. plur.
3. Descendre, 1re pers. sing.
6. Peindre, 2e pers. sing.
7. Poursuivre, 1re pers. plur.
8. Fuir, 3e person sing.
9. Respirer, 1re pers. sing.
10. Suivre, 3e pers. plur.
14. Écouter, 2e pers. plur.
17. Proposer, 2e pers. plur.

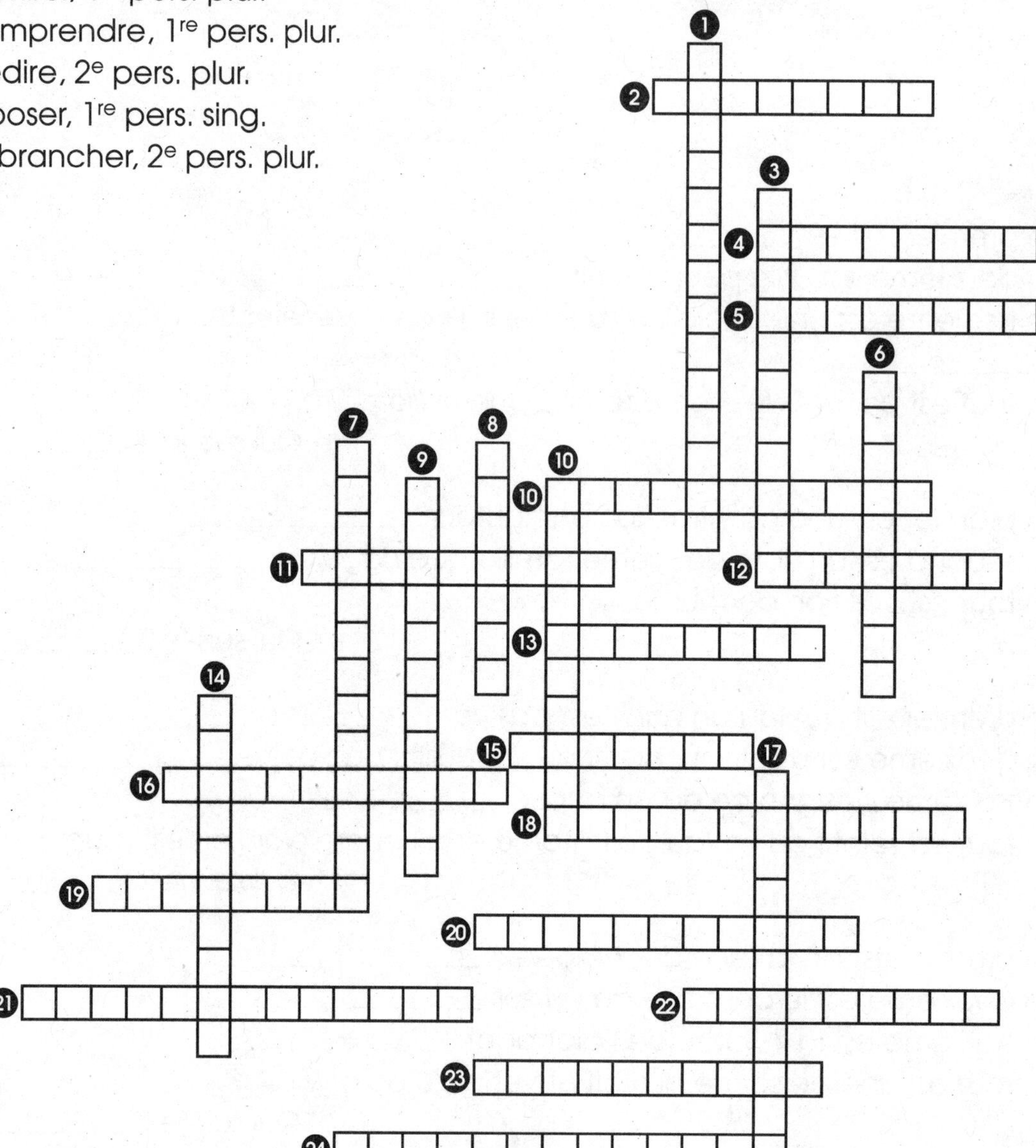

Tout un casse-tête !

Écris correctement les *gentilés* écrits en gras dans les phrases suivantes. Apporte les corrections nécessaires au-dessus de chaque phrase.

Croque-info

Un *gentilé* est le nom qu'on donne aux habitants d'un lieu. Les gentilés utilisés comme nom (pour désigner les habitants) s'écrivent avec une majuscule. *Exemple* : Un Montréalais. Lorsqu'ils sont utilisés comme adjectifs, les gentilés s'écrivent avec une minuscule. *Exemple* : Une fête montréalaise.

a) Nous avons rencontré de sympathiques **lavallois** pendant un festival **gaspésien.**

b) Il n'est pas fréquent de manger une soupe **thaïlandaise** servie par un mexicain.

c) En tant que **canadien,** je suis fasciné par la culture **africaine.** Je compte bien aller vivre parmi les **africains** un de ces jours.

d) Que préfères-tu, les mets **espagnols** ou les mets **italiens** ?

e) Les **français** trouvent l'accent **québécois** très marrant.

f) Plusieurs **albertains** et **albertaines** parlent français, le savais-tu ?

g) D'où provient l'accent des **anglais** d'Angleterre ?

h) Tu vois cette **indienne** ? Elle est née en Inde, mais a maintenant sa citoyenneté **canadienne.**

i) Les **italiens** sont reconnus pour leurs pâtes.

j) Sa mère, **polonaise** d'origine, a marié un **québécois** pur laine.

Un immense globe terrestre

1 Trouve un ou des homophones à chacun des mots suivants.

> **Croque-info**
>
> Des homophones sont des mots qui se prononcent de la même façon mais qui s'écrivent différemment. *Exemple* : verre, vers, ver, vert.

a) vert ____________ ____________

b) père ____________ ____________

c) lait ____________ ____________

d) sceau ____________ ____________

e) sang ____________ ____________

f) mètre ____________ ____________

g) vingt ____________ ____________

h) cou ____________ ____________

i) tante ____________ ____________

j) mère ____________ ____________

2 Trouve un nom qui complète bien les expressions suivantes.

a) Un ____________ aiguisé / pointu / -feutre

b) Une ____________ douce / endiablée / disco

c) Du ____________ mâché / journal / peint

d) Des ____________ martiaux / plastiques

e) Une ____________ de cuisine / de travail / de nuit

f) Des ____________ acides / abondantes / torrentielles

g) Un ____________ de photos / de timbres / -souvenir

h) Une ____________ à effacer / à mâcher

Festival des films du monde

Raconte, sous forme de courtes bandes dessinées, un extrait de ton film préféré.

Titre du film : ______________________________

L'harmonie sur Terre

Complète ces phrases à l'aide des adverbes suivants.

aujourd'hui	aussi	autour	beaucoup	combien
comment	contre	demain	derrière	environ
jamais	jamais	moins	parfois	partout
partout	plus	prudemment	quand	rapidement
toujours	tout	très	vite	

1. Ma sœur aimerait __________ que la paix règne __________ sur la Terre. Il n'y aurait __________ de guerre et tout le monde s'entendrait __________. __________ peut-on y arriver ? Il importe de faire nous __________ notre part.

2. __________, cette femme ira se promener dans la verte prairie.

3. Cet homme a attendu __________ deux heures à la clinique.

4. __________ j'écoute de la musique, je mets des écouteurs.

5. Il y a des feuilles __________ sur la pelouse __________ de ma maison.

6. Je crains qu'il n'y ait __________ de lait pour les céréales.

7. __________, le ciel s'est obscurci et une pluie torrentielle s'est mise à tomber.

8. Mon amie court __________ __________. Elle se dirige __________ vers la ligne d'arrivée.

9. Mon père a avalé __________ son repas du soir.

10. Le constructeur de cet immeuble a fait un stationnement tout __________ de l'édifice.

11. Cet automobiliste conduit __________ et doucement.

12. Le cheval trotte __________ dans le pré.

13. Je n'ai __________ senti une fleur aussi odorante.

14. Tu as appuyé ta chaise __________ la porte de la classe

15. __________ lui manque-t-il de dollars pour aller au cinéma ?

À chaque mot son origine

1 Des séries de mots te sont proposées. À l'aide d'un dictionnaire, trouve l'intrus dans chacune et biffe-le. Par la suite, identifie chaque série à l'aide d'un mot.

Ex :

Champignons

amanite
bolet
~~comédon~~
morille

agate
silex
zircon
zinc

cédrat
aubépine
chardon
immortelle

sclérose
agami
eczéma
arthrite

mérou
baudroie
crotale
lotte

humérus
cirrus
cumulus
stratus

deltoïde
talisman
pectoral
masséter

kaki
litchi
goyave
opus

Un pronom parmi tant d'autres

Dans le texte suivant, indique entre parenthèses le mot que remplace le pronom personnel.

Des sensations fortes

Gontran trépigne de joie ce matin. **Il** (____________________) s'en va glisser sur la neige avec plusieurs de ses camarades. **Ils** (____________________) iront sur la côte la plus haute du village. **Celle-ci** (________________) mesure environ 300 mètres de long. Que de plaisir **ils** (____________________) auront à dévaler cette pente abrupte ! Pierrot, un des copains de Gontran, apportera une immense luge coussinée. **Elle** (________________) peut contenir environ quatre personnes. **Tous** (____________________) ont bien hâte d'aller **l'**(________________) essayer.

Voilà les amis de Gontran qui viennent **le** (____________________) chercher chez lui. Les jeunes, impatients, ne cessent de parler de leurs futures prouesses. Arrivés près de la pente, **ils** (____________________) courent afin de pouvoir glisser le plus vite possible. Pendant des heures, Gontran et sa bande de copains descendent, montent, redescendent et remontent la grosse côte du village. Tous se sont bien amusés et **ils** (____________________) se souviendront longtemps de leur belle journée.

Des questions à poser !

Écris les phrases suivantes à la forme interrogative en utilisant la structure *sujet* + *verbe* + *pronom*.

Ex. : Le patin artistique est un sport qui demande beaucoup d'entraînement.

Le patin artistique est-il un sport qui demande beaucoup d'entraînement ?

1. Courir le matin donne de l'énergie pour le reste de la journée.

2. Une bonne alimentation contribue à aider au développement des habiletés physiques.

3. Jean-Luc Brassard a remporté plusieurs médailles au cours de sa jeune carrière.

4. Les athlètes s'entraînent tous les jours pour obtenir de bons résultats.

5. Aux Jeux olympiques, Myriam Bédard participe aux compétitions de biathlon.

6. Le ski acrobatique est une des disciplines les plus dangereuses.

7. L'athlète qui fait du patinage de vitesse doit posséder un bon équilibre.

8. Les Jeux olympiques d'hiver ont lieu tous les quatre ans.

9. Dans la descente, la luge peut atteindre des vitesses vertigineuses.

Un monde compliqué

À quel rébus correspond chacun des mots suivants ?

apogée	examen	excédent	fabrique
façon	fémur	frontière	géranium
hérisson	karaté	manifester	matériau
murmurer	panique	paradis	tabouret

1. EX C 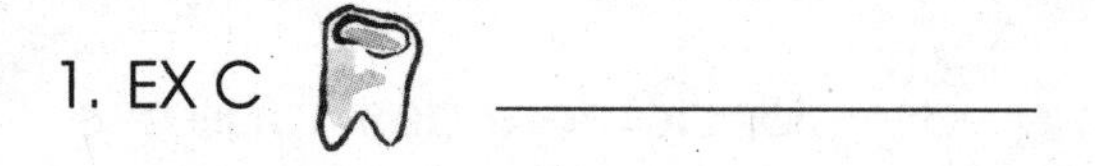 ______________

2. A G 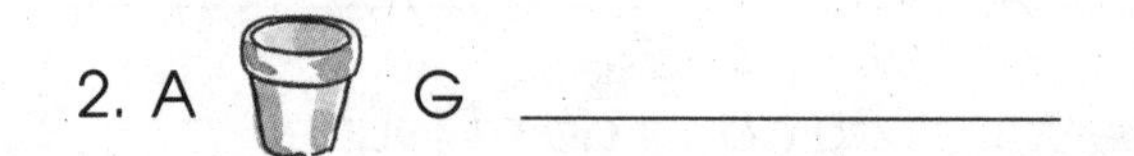 ______________

3. G  ______________

4. EX A 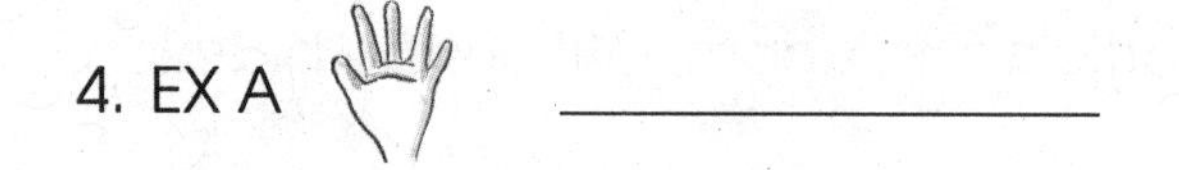 ______________

5. É  ______________

6. 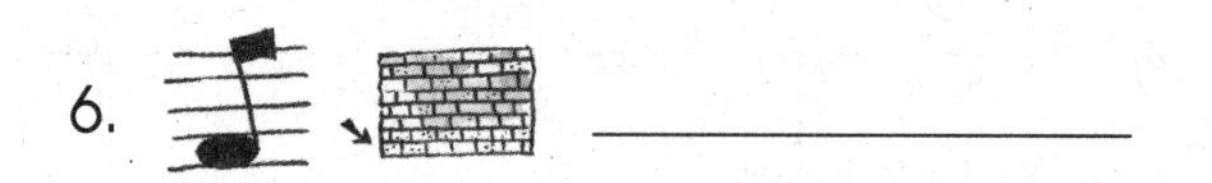 ______________

7. 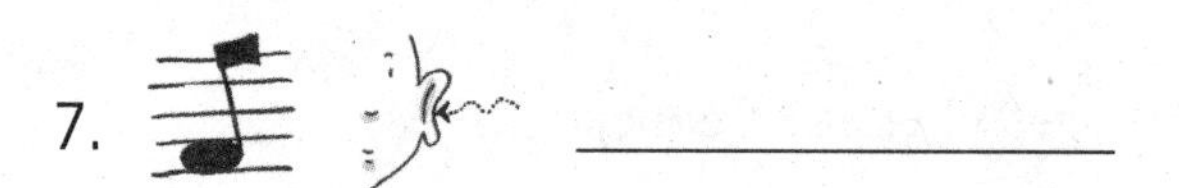 ______________

8. 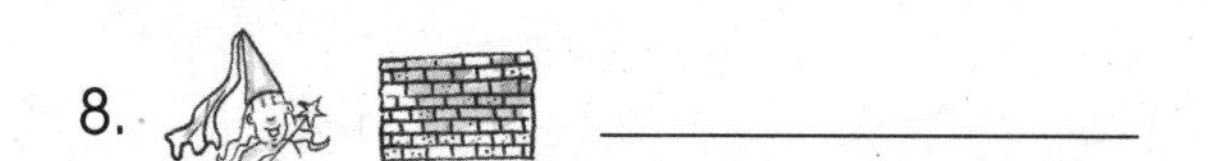 ______________

9. É 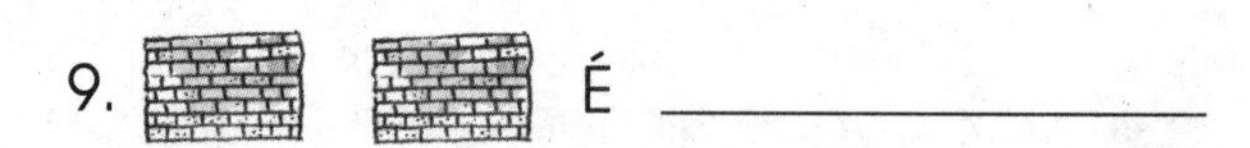 ______________

10.  ______________

11. QUE  ______________

12.  ______________

13. K 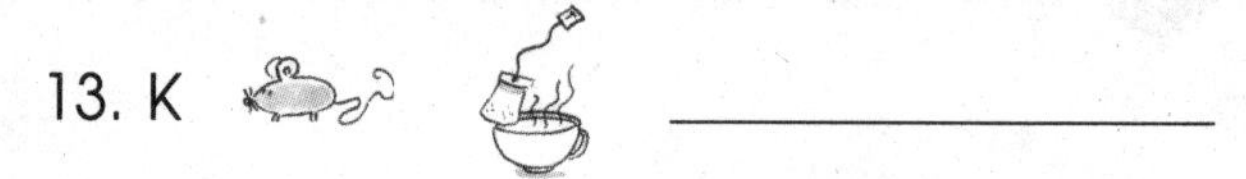 ______________

14. MA  ______________

15. 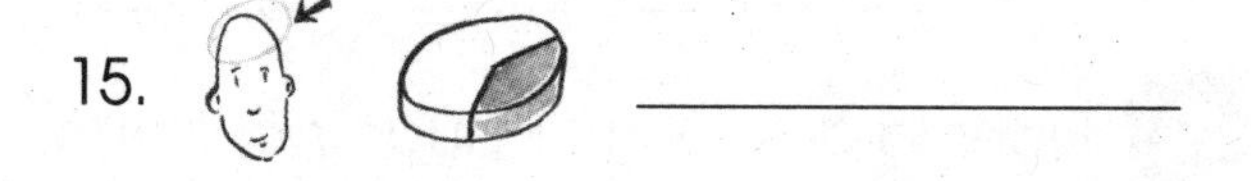 ______________

16. TA  ______________

En route vers l'Amérique !

Un continent qui vaut le détour !

Transcris les phrases suivantes au pluriel.

Ex. : La longue voiture bleue parcourt l'allée de la plaine.

Les longues voitures bleues parcourent les allées des plaines.

1. L'énorme tronc d'arbre cachait complètement la façade de la maison.

2. J'ai contemplé longuement l'immense chute très impressionnante.

3. Dans la vaste prairie, l'homme cultive la céréale.

4. Le poisson est un mets renommé dans ce pays.

5. Le tournage du film hollywoodien se fait sous le grand pont suspendu.

6. La pomme est un fruit réputé dans cette province.

7. Mon ski glisse sur la pente douce pendant que j'admire une étoile.

8. La cabane à sucre est située sur une érablière.

9. Un orignal trotte sur le bord de l'autoroute bruyante.

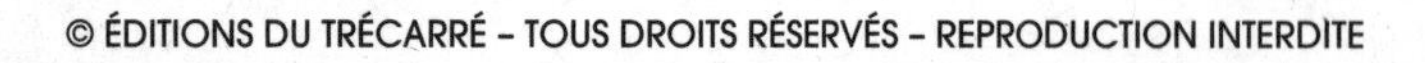

À chacun sa recette

Voici la recette préférée de Gontran : le croque-monsieur.
Pour la découvrir, numérote chacune des étapes dans l'ordre chronologique.

◯ – ajouter une seconde tranche de fromage sur chaque tranche de jambon ;

◯ – disposer, sur les faces beurrées de quatre tranches de pain, une première tranche de fromage ;

◯ Faire cuire les croque-monsieur, un à la fois, dans un poêlon préchauffé. Les faire dorer des deux côtés.

◯ Préparer les ingrédients suivants : 8 tranches de pain, 8 tranches de fromage emmental, 4 tranches de jambon, sel et poivre, beurre mou.

◯ – superposer une tranche de jambon sur chaque tranche de fromage ;

◯ – terminer le montage en superposant la seconde tranche de pain, face beurrée vers l'extérieur.

◯ – tout d'abord, badigeonner de beurre mou une face de chaque tranche de pain ;

◯ Une fois les ingrédients prêts, monter les croque-monsieur de la façon suivante :

L'Amérique en folie !

Dans les phrases suivantes, indique si le mot souligné est employé selon son sens propre (P) ou son sens figuré (F).

Croque-info

Le sens propre d'un mot est son sens premier. *Exemple* : Le chien a mordu.
Le sens figuré d'un mot est son sens imagé ; il fait appel au contexte.
Exemple : C'est un mordu de sports ! (qui signifie « grand amateur »).

1. Voici maintenant le clou du spectacle !
2. On doit se procurer des clous et un marteau pour ce petit bricolage.
3. L'enseignante a demandé à ses élèves turbulents d'arrêter ce cirque.
4. J'ai deux billets pour aller au Cirque du soleil.
5. Les mineurs travaillent durement pour gagner leur pain.
6. Coupez-moi ce pain en tranches.
7. Je vais lui en toucher un mot demain.
8. Peux-tu toucher mon front, je crois que je fais de la fièvre.
9. Elles ont filé à toute vapeur.
10. La vapeur est composée de fines gouttelettes d'eau.
11. Viens m'aider à plier ce drap.
12. Tu ne devrais plus te plier à ses caprices.
13. Myriam adore marcher sous la pluie.
14. Elle a reçu une pluie de félicitations à la fin de son discours.
15. L'héroïne est tombée en amour avec le vagabond.
16. L'héroïne est tombée dans la boue avec le vagabond.
17. Il avait des papillons dans l'estomac.
18. As-tu vu sa collection de papillons nocturnes ?
19. J'aimerais coucher mes idées sur papier tel un grand poète.
20. Ils doivent se coucher tôt car ils sont fatigués.

Le cinéma américain

Trouve deux différentes façons de déplacer les compléments de phrase dans les phrases suivantes. N'oublie pas de les encadrer de virgules.

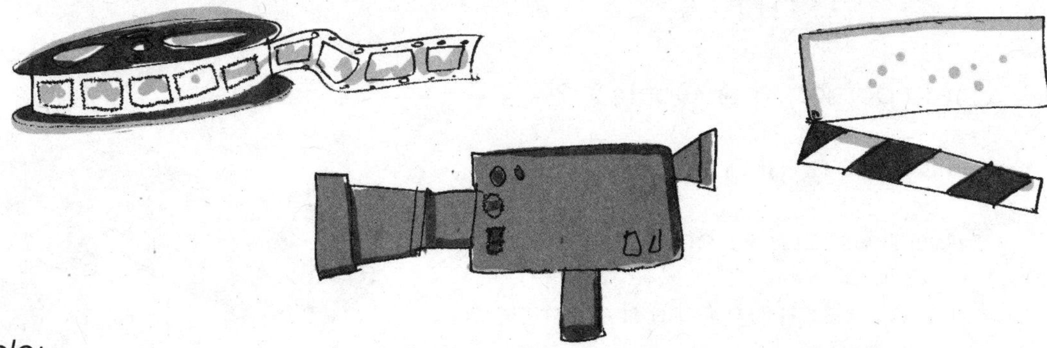

Exemple :

Les acteurs d'Hollywood demandent un gros cachet pour jouer dans un film.

a) Pour jouer dans un film, les acteurs d'Hollywood demandent un gros cachet.

b) Les acteurs d'Hollywood, pour jouer dans un film, demandent un gros cachet.

1. Il y avait plus de 400 effets spéciaux dans le film *Titanic*.

   a) ______________________

   b) ______________________

2. Les vedettes portent des vêtements très élégants à l'occasion d'un gala.

   a) ______________________

   b) ______________________

3. Il y a beaucoup d'action sur le plateau de tournage.

   a) ______________________

   b) ______________________

4. Une foule de gens assiste aux représentations cinématographiques.

   a) ______________________

   b) ______________________

5. Le cinéma européen produit de nombreux films d'auteur à petits budgets, depuis 1945.

   a) ______________________

   b) ______________________

Une passion

Gontran te fait part de sa passion. À toi de lui écrire la tienne.
Prête une attention particulière à l'accord des verbes.

Ma passion, moi, Gontran ?

Non, ce n'est pas le Nintendo.

Ce n'est pas les balades en auto.

Ni la musique, même si c'est beau.

La simple poésie, voilà mon dada.

J'adore les rimes, crois-moi !

C'est amusant et captivant.

Finalement, c'est le plus beau des passe-temps.

Et toi, quelle est ta passion ?

Ma passion : ______________________________

____

____

____

____

____

____

____

____

____

Amérique du Sud en vue !

Gontran doit faire une recherche sur l'Amérique du Sud.
Aide-le en trouvant l'endroit qui correspond à la bonne définition.
Tu peux utiliser ton dictionnaire, un atlas ou Internet.

1. Pays de l'Amérique du Sud dont la capitale est Buenos Aires. La langue est l'espagnol et la monnaie le *peso* argentin.
2. Capitale du Venezuela, située près de la mer des Antilles.
3. Capitale de la Colombie, dans la Cordillère orientale.
4. État de l'Amérique du Sud, sur l'océan Pacifique. La capitale est Lima. La langue est l'espagnol et la monnaie le *sol*.
5. Capitale de l'État de Rio de Janeiro dont le carnaval est très célèbre.
6. État de l'Amérique du Sud, sur la mer des Antilles. La capitale est Caracas. Sa langue est l'espagnol et la monnaie le *bolivar*.
7. République de l'Amérique du Sud, sur le Pacifique. La capitale est Quito. La langue est l'espagnol et la monnaie le *sucre*.
8. État de l'Amérique du Sud, sur l'Atlantique et le Pacifique. La capitale est Bogota. La langue est l'espagnol et la monnaie, le *peso* colombien.
9. Capitale du Pérou, sur le Rimac.
10. État de l'Amérique du Sud dont la capitale est Brasilia. La langue est le portugais et la monnaie le *réal*.

_____ Venezuela

_____ Rio de Janeiro

_____ Pérou

_____ Lima

_____ Équateur

_____ Colombie

_____ Caracas

_____ Brésil

_____ Bogota

_____ Argentine

Une escalade dans les Rocheuses

Croque-info

Le déterminant *quel* s'accorde toujours en genre et en nombre avec le nom qu'il précise. *Exemples*: Quelle heure est-il? Quels amis sont invités?

1. Accorde correctement le déterminant *quel* dans les phrases suivantes.

j) Quel_____ est ta destination?

i) Quel_____ équipe préfères-tu?

h) Quel_____ belle journée!

g) Quel_____ âge as-tu?

f) De quel_____ amies parles-tu?

e) Quel_____ livres choisirez-vous?

d) Quel_____ est ton animal préféré?

c) Quel_____ est ta date de naissance?

b) Quel_____ bel animal!

a) Quel_____ mauvais film!

À chacun sa bulle !

À l'aéroport, les voyageurs et les employés sont tous très énervés. Si bien que les paroles que chacun prononce se promènent un peu partout.

Associe chaque personnage à la bulle appropriée en écrivant la lettre de la bulle qui convient.

1 ________	4 ________	7 ________	10 ________
2 ________	5 ________	8 ________	11 ________
3 ________	6 ________	9 ________	12 ________

Le féminin l'emporte

Gontran excelle dans les exercices où il doit mettre les mots au pluriel. Et toi ? Repère, dans cette grille, le féminin pluriel des mots qui composent la liste et découvre un message.

C	S	P	O	R	T	A	T	I	V	E	S	G	R	N	I	S	P	I	F
A	O	U	L	S	E	R	E	I	P	M	O	P	T	U	G	E	R	N	O
C	S	N	R	I	N	D	U	S	T	R	I	E	L	L	E	S	I	F	N
H	E	E	S	V	S	P	A	S	E	T	E	I	U	Q	N	I	N	I	D
E	L	A	X	T	E	E	U	L	F	C	E	X	C	E	I	A	C	R	A
R	L	V	S	P	R	I	U	I	L	O	I	L	L	E	A	N	I	M	T
C	E	O	E	T	E	U	L	Q	S	E	R	R	S	A	L	O	P	I	R
H	R	C	M	U	E	R	C	L	I	S	M	E	T	T	E	P	A	E	I
E	U	A	M	A	N	C	I	T	A	R	A	A	S	A	S	A	L	R	C
U	T	T	E	T	Q	U	H	M	R	N	T	N	N	T	R	J	E	E	E
S	A	E	F	E	C	E	C	N	E	I	T	C	T	D	I	E	S	S	S
E	N	S	N	E	U	V	E	S	I	N	C	E	E	E	E	E	P	H	E
S	E	N	N	E	I	D	A	N	A	C	T	E	S	L	S	S	R	M	R
S	E	S	U	E	I	N	E	G	N	I	I	A	S	C	E	R	O	E	I
S	E	T	N	E	R	E	F	F	I	D	Q	E	L	S	R	U	E	O	S
A	M	E	R	I	C	A	I	N	E	S	E	N	N	E	I	D	R	A	G
S	E	C	I	R	T	C	E	P	S	N	I	U	E	N	S	S	E	N	U
S	E	R	U	E	I	N	E	G	N	I	E	O	L	I	E	N	N	E	S
M	O	T	S	F	R	A	N	C	A	I	S	E	S	P	O	S	E	E	E
C	O	L	L	E	G	I	E	N	N	E	S	E	T	E	L	P	M	O	C

allemand
américain
avocat
canadien
chercheur
collégien
complet
constructeur
différent
électrique
empereur
éolien
expérimental
fondateur
forestier
français
frère
gardien
génial
homme
industriel
infirmier
ingénieur
ingénieux
inquiet
inspecteur
japonais
naturel
neuf
pompier
portatif
posé
principal
puissant
surveillant
technicien
un (pronom)

Le message

___ ___ ___ ___ ___ ___ ___! ___ ___ ___ ___ ___ ___ ___ ___ ___ ___

___ ___ ___ ___ ___ ___ ___ ___ ___ ___ ___ ___ ___ ___ ___

___ ___ ___ ___ ___ ___-___ ___ ___ ___!

Des touristes à la tonne !

Montréal est une ville très intéressante. Beaucoup de touristes la visitent et l'admirent. Les phrases suivantes portent sur des endroits ou des monuments et des événements célèbres de Montréal. Complète ces phrases à l'aide des expressions appropriées.

Festival Juste pour rire
Planétarium
Festival international de jazz
Fêtes gourmandes
Stade olympique
Tour de l'Île
Biodôme
Vieux-Port
Jardin botanique
Oratoire Saint-Joseph

1. Plusieurs oiseaux exotiques voltigent dans un décor naturel au ______________________.
2. La rigolade est assurée au ______________________. On s'attarde dans les rues, écoutant ou regardant les spectacles des humoristes.
3. Au mois d'octobre, c'est la fête au ______________________. Une visite qui attire des milliers de personnes. Que de belles citrouilles !
4. Que ce soit pour un spectacle de musique ou un match de baseball, le ______________________ est un édifice des plus impressionnants !
5. Mon père adore se promener au ______________________. Il scrute l'horizon pour apercevoir les immenses bateaux qui sillonnent le fleuve.
6. Les ______________________ : c'est l'occasion de déguster plusieurs mets de différents pays.
7. Cette année au ______________________, la température était médiocre. Certains cyclistes ont même souffert d'hypothermie.
8. Certaines personnes très croyantes prient en montant les marches de l'______________________ à genoux.
9. Des musiciens doués se produisent dans les rues de Montréal lors du célèbre ______________________.
10. La tête bien installée contre l'appui-tête, je suis chaque fois fasciné par les constellations au ______________________ .

Les mots de l'Amérique

Le français parlé au Québec diffère quelquefois de celui qui est parlé ailleurs dans le monde. Trouve les mots qui aideraient un touriste à comprendre les québécismes suivants.

a) Mon frère est achalant. d _ _ _ _ g _ _ _ t

b) Je collectionne les bebites. b _ _ t _ _ l _ _

c) Je suis allergique aux cashews. n _ _ x _ 'a _ _ _ o _

d) J'habite près d'un centre d'achats. c _ _ _ e _ c _ _ l

e) Il y a une fan au plafond de ma chambre. v _ _ t _ l _ _ _ u _

f) Je dois réparer le flat sur ma bicyclette. c _ _ v _ _ s _ _

g) Demain, j'ai une game de hockey. p _ _ t _ _

h) Peux-tu m'envoyer une joke de chez vous? b _ _ g _ _

i) Ma sœur a pitché le ballon sur le toit de l'école. l _ _ c _

j) Je n'ai plus de scotch tape. r _ b _ _ _ d _ h _ _ _ f

k) As-tu un walkman? b _ _ _ d _ _ r

l) J'ai une puck des Canadiens de Montréal. r _ _ d _ _ l _

m) Je vais maller cette lettre demain. p _ _ t _ _

n) Mon père passe la moppe. v _ _ r _ _ _ l _ _

o) Ma meilleure chum est dans ma classe. _ m _ _

Au pays des bandes dessinées

1 Pense à un personnage de bande dessinée bien connu et remplis la fiche descriptive suivante :

Nom du personnage : ______

Nationalité : ______

Âge : ______

Sexe : ______

Métier : ______

Amis ou amies : ______

Ennemis ou ennemies : ______

Accessoire préféré : ______

Nature (humain, animal, etc.) : ______

Nourriture préférée : ______

Juron : ______

Principale caractéristique physique : ______

Principal trait de personnalité : ______

Loisirs : ______

2 À l'aide des informations du nº 1, compose cinq phrases qui serviront d'indices à un « Qui suis-je ? ». Écris en premier les indices qui donnent de l'information générale. Observe l'exemple de Gontran.

Exemple : Je suis un homme.
Je suis bougon.
Je porte une barbe.
Capitaine est mon métier.
Mon juron est « Mille milliards de mille sabords ! ».
Qui suis-je ?

Réponse : le capitaine Haddock

______

______

______

______

______

______

À chacun sa province !

Voici des régions et des villes du Québec.
Trouve les lettres manquantes et découvre à la verticale
quelques provinces du Canada.

1

Mon☐réal
Gaspési☐
Trois-Riviè☐es
☐imouski
Québ☐c
Blai☐ville
Mont-Tr☐mblant
Ma☐ricie
La☐al
Rob☐rval

2

R☐wdon
☐anaudière
Terre☐onne
Laur☐ntides
Île d'O☐léans
Châ☐eauguay
Île-☐ux-Coudres

3

Jon☐uière
Saint-Sauve☐r
Sh☐rbrooke
Gran☐y
Sor☐l
Saint-Hya☐inthe

4

Saint-Jér☐me
Gati☐eau
Ou☐aouais
Saint-Don☐t
☐igaud
Repent☐gny
L☐ngueuil

5

☐agog
Mir☐bel
Mo☐t-Laurier
Jol☐ette
Mon☐ebello
B☐ucherville
A☐itibi
V☐l-d'Or

6

Bro☐sard
☐mos
☐ainte-Agathe
☐amouraska
Gr☐nd-Remous
Lachu☐e
Saint-☐onstant
Stone☐am
Lab☐lle
Sha☐inigan
Rouyn-Nor☐nda
Sainte-An☐e-des-Plaines

7

Vare☐nes
Saint-J☐vite
Chico☐timi
☐alleyfield
V☐rchères
☐ac-Saint-Jean
LaSa☐le
S☐pt-Îles
Asb☐stos
La☐hine
Pierref☐nds
☐ainte-Adèle
☐aint-Hubert
Vaudr☐uil

Continent légendaire

En recopiant à l'ordinateur cette légende amérindienne sur l'origine du temps des sucres, Gontran a commis quelques erreurs. À toi de corriger les mots soulignés par le traitement de texte.

Légende de Nokamis (La terre)

Nokomis, grand-mère de Manabush et <u>héroïne</u> de nombreuses <u>légende</u> indiennes, aurait été la première à percer des trous dans le <u>tront</u> des érables et à en <u>receuillir</u> la sève. Manabush, constatant que la sève est un sirop <u>près</u> à manger, dit à sa grand-mère Nokomis : «Grand-mère, il n'est pas bon que les arbres <u>produises</u> du sucre <u>au si</u> facilement. Si les hommes peuvent ainsi sans effort recueillir du sucre, <u>il</u> ne tarderont pas à devenir paresseux. Il faut tâcher de les <u>faires</u> travailler. Avant qu'ils puissent déguster ce sirop <u>esquis</u>, il serait bon que les hommes soient obligés de <u>fandre</u> du bois, et de passer des nuits à <u>surveillé</u> la cuisson du sirop.» Craignant que <u>nokomis</u> ne l'écoute pas, Manabush grimpa au haut d'un érable avec un vaisseau <u>renpli</u> d'eau et versa le contenu à l'intérieur de l'arbre. <u>le</u> sucre <u>ce</u> dissout et l'on dut travailler dur désormais pour se <u>procurrer</u> du sirop.

a) ________________

b) ________________

c) ________________

d) ________________

e) ________________

f) ________________

g) ________________

h) ________________

i) ________________

j) ________________

k) ________________

l) ________________

m) ________________

n) ________________

o) ________________

p) ________________

q) ________________

La Gaspésie : une région pleine de vie !

Trouve, dans le texte suivant, les synonymes de ces mots :

a) alimentation	____________	f) aussi	____________
b) célèbre	____________	g) générosité	____________
c) idée	____________	h) paysage	____________
d) prétextes	____________	i) succession	____________
e) vacanciers	____________	j) vêtements	____________

L'année passée, beaucoup de touristes ont visité cette région si fascinante qu'est la Gaspésie. Que ce soit pour le rocher Percé, pour les phoques ou les baleines, pour le panorama exceptionnel du parc Forillon ou pour une gastronomie, on ne peut faire autrement que s'y attarder le plus longtemps possible. Cette destination de plus en plus populaire réjouit à tout coup.

Dans cette région, la nature revêt ses beaux atours. Par exemple, on ne doit pas passer outre le jardin de Métis. Il se classe parmi les plus grands jardins du monde. L'existence de ce jardin des merveilles en ces lieux est redevable à la présence d'un microclimat, à l'initiative d'une femme, Elsie Reford, et enfin, au dévouement et au bon goût de ceux qui ont pris sa relève en 1961 quand le gouvernement en fit l'acquisition.

Il y a également le parc de la Gaspésie, qui est renommé pour la beauté de ses sentiers de randonnée pédestre et de ski de fond.

Un voyage, une excursion, un détour ? Toutes les raisons sont bonnes pour que la Gaspésie compte au nombre des destinations les plus appréciées.

Un voyage très spécial!

Et toi, as-tu déjà voyagé? As-tu déjà eu l'occasion de visiter un autre pays, une autre province ou une autre ville? Raconte-nous! Pour t'aider, Gontran te suggère quelques questions.

- Où était-ce?
- Pourquoi as-tu fait ce voyage?
- Avec qui as-tu voyagé?
- Était-ce un voyage agréable?
- Combien de temps a duré ce voyage?
- As-tu quelques anecdotes?
- Quelles activités as-tu pratiquées?
- Ton voyage s'est-il bien terminé?

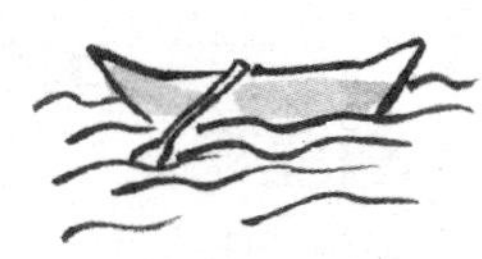

Mon voyage

____

____

____

____

____

____

____

____

____

____

____

Pourquoi ne pas réaliser cette activité à l'ordinateur et la faire parvenir à quelqu'un de ton entourage par courriel?

On part ou on ne part pas ?

Gontran a composé des phrases afin que tu les transformes à la forme négative. Tu peux utiliser « *ne... rien* », « *ne... pas* », « *ne... plus* » « *ne... jamais* », « *personne* », etc.

Exemple : Tu lis toujours des articles sur les destinations de voyage.

Tu lis jamais d'articles sur les destinations de voyage.

a) Cet homme prend beaucoup de risques en allant se promener.

b) Tout le monde aime prendre l'avion pour voyager.

c) Le journaliste est bien renseigné sur ce pays.

d) Mon père a de la mémoire... il pense à tout !

e) Cette fillette veut encore retourner visiter *Walt Disney World.*

f) Oui ! J'ai déjà terminé de faire ma valise.

g) C'est toujours l'endroit parfait pour se reposer.

h) Ils ont savouré un plat de pâtes épicé dans le quartier italien.

i) Il y a beaucoup de saumons dans les rivières.

En route, poète !

Gontran a appris qu'en poésie la sonorité compte autant que les rimes. Ainsi, il a composé un poème en s'inspirant du prénom de son amie Brigitte. Lis attentivement ce poème et constate comme il « sonne » bien.

Brigitte la brigadière

La **bri**gadière **Bri**gitte **bri**cole avec **bri**o.
D'où son so**bri**quet « célé**bri**té du **bri**co ».
Un jour où elle mangeait un petit a**bri**cot
En faisant des ca**bri**oles, une idée **bri**llante
Apparut **bri**èvement dans sa belle caboche :
Elle fa**bri**querait un a**bri** pour coli**bris**.
Briques **bri**sées et quelques branches d'ar**bri**sseaux
Protégeront de la **bri**se ces beaux coli**bris.**
Brigitte finalisa **bri**llamment son plan,
Grignotant biscuits aux **bri**sures de chocolat
Et quelques pointes de **bri**e fondant sur des biscottes.

À ton tour !

1. Choisis le prénom d'une personne de ton entourage : ____________________

2. Dans ce prénom, encercle le groupe de lettres ou la syllabe que tu comptes répéter dans ton poème.

3. Dresse une liste de mots qui contiennent ce son ou cette syllabe :

____________ ____________ ____________ ____________ ____________

____________ ____________ ____________ ____________ ____________

____________ ____________ ____________ ____________ ____________

4. À l'aide des mots que tu as trouvés, rédige ton poème.

5. Révise ton poème et envoie-le par courriel à la personne dont tu as choisi le prénom.

Un peu de soleil dans la vie !

1 Complète les phrases en écrivant le bon homonyme *peux, peut* ou *peu*, selon le cas.

a) On ______________ se promener sur les Plaines d'Abraham à Québec.

b) Mon frère ______________ faire de longs voyages en bateau sans avoir le mal de mer.

c) Les chutes Niagara, que l'on ______________ observer à bord d'un petit bateau, sont d'une grande beauté.

d) ______________ de gens qui n'aiment pas s'évader en voyageant.

e) Tu ______________ te faire bronzer sous le chaud soleil.

f) L'agent de bord ______________ expliquer les règles de sécurité à bord de l'avion.

g) Tu ______________ avoir besoin d'un ______________ de crème solaire pour te protéger des effets nocifs de certains rayons.

2 Conjugue le verbe *pouvoir* au présent de l'indicatif, aux trois personnes du singulier.

______________________ ______________________ ______________________

3 Compose à ton tour cinq phrases en utilisant les homophones *peux, peut* et *peu*.

____

____

____

____

____

Des indices utiles

Lis les indices de Gontran et tente de trouver le mot correspondant dans la banque de mots. Par la suite, à côté de la définition, écris ce mot au singulier et au pluriel.

royal
oral
hôpital
loyal
estival
national
fatal
médical
musical
vital
banal
récital
pou
landau
sarrau

	Singulier	Pluriel
1 Qui est commun, ordinaire, sans originalité.		
2 Établissement public offrant des soins médicaux.		
3 Blouse de travail.		
4 Qui est propre à la musique.		
5 Qui appartient à un roi ou à une reine.		
6 Qui appartient à la nation.		
7 Qui a lieu l'été.		
8 Spectacle donné par un seul ou une seule interprète.		
9 Qui est transmis de vive voix.		
10 Qui entraîne la mort, marqué par le destin.		
11 Qui est essentiel à la vie.		
12 Qui est fidèle, dévoué, honnête.		
13 Petit insecte qui se loge dans le cuir chevelu.		
14 Qui concerne la médecine.		
15 Voiture d'enfant du genre «poussette».		

Des verbes peu familiers

Conjugue les verbes suivants au passé simple et découvre un seizième verbe conjugué au passé simple.

1. scruter, elles
2. voyager, on
3. marcher, elle
4. surprendre, ils
5. loger, il
6. disparaître, ils
7. contempler, elle
8. débourser, on
9. convaincre, il
10. demander, elle
11. fuir, on
12. dire, elles
13. patienter, il
14. transmettre, on
15. collectionner, il

Tornades au Canada ?

Lis le texte suivant avant de réaliser l'activité qu'on te propose à la page suivante.

Au Canada comme ailleurs, les tornades peuvent survenir à tout moment de la journée et de l'année. Toutefois, elles semblent avoir un faible pour les après-midi et débuts de soirée des mois de juin et juillet.

Les tornades arrivent sans avertissement. On peut néanmoins les anticiper lorsqu'on observe dans le ciel un nuage en forme d'entonnoir qui s'étire du sol à la base du nuage d'orage. Le ciel s'obscurcit, les vents deviennent violents et aussi bruyants qu'un train de marchandises et sont accompagnés d'éclairs, de tonnerre, de pluie abondante et de grêle. Cependant, une fois ces observations faites, il est souvent trop tard... en effet, les tornades se déplacent si rapidement qu'elles peuvent atteindre une vitesse de 70 km/h.

Les décès et blessures qui ont lieu pendant les tornades sont souvent le fait d'immeubles qui s'effondrent et de débris projetés par le vent. Il est donc important de s'en protéger. En cas de tornade, munissez-vous d'oreillers et d'autres objets en tissu épais et abritez-vous immédiatement dans une partie bien soutenue d'un sous-sol ou dans une pièce dont les murs sont solides voire même sous un escalier (intérieur !). Si vous êtes à l'extérieur, couchez-vous dans un fossé ou accroupissez-vous.

Au Canada, la tornade la plus mortelle (de force F-4*) a eu lieu à Régina en 1912 : 28 personnes y ont perdu la vie, 200 ont été blessées et 2500 se sont retrouvées sans domicile.

* L'intensité des tornades varie de F-0 à F-5 selon l'échelle de Fujita. Cette échelle est fondée sur l'importance des dégâts.

	Vitesse du vent (km/h)	**Dégâts**	**Occurance au Canada**
F-0	64 à 116	Légers	45 % des tornades
F-1	117 à 180	Modérés	29 % des tornades
F-2	181 à 253	Considérables	21 % des tornades
F-3	254 à 331	Graves	4 % des tornades
F-4	332 à 418	Catastrophiques	1 % des tornades
F-5	419 à 512	Inimaginables	aucune

Source : Ressources naturelles Canada

Tornades au Canada ? *(suite)*

Gontran te propose de préparer une courte communication orale à l'aide du texte de la page précédente.

Ton projet	
Sujet	Le phénomène des tornades au Canada.
Durée	Au moins 60 secondes.
Destinataires	Les élèves de ta classe.
But	Informer les élèves sur le phénomène des tornades au Canada. Au terme de ton exposé, les élèves doivent avoir une meilleure idée : • de la période la plus propice aux tornades ; • des indices qui permettent de prévoir une tornade ; • des façons de se protéger en cas de tornade ; • de l'échelle utilisée pour évaluer la force des tornades.
Points à surveiller	• L'organisation de tes idées (introduction, développement, conclusion) ; • ta prononciation ; • utilisation d'un vocabulaire précis.

Quelques conseils de Gontran

- Prépare une fiche aide-mémoire sur laquelle tu noteras les mots clés de ton exposé.
- Exerce-toi plusieurs fois : en t'enregistrant, devant un miroir, devant tes parents ou amis et amies.
- N'hésite pas à utiliser des images, des photos ou tes propres dessins pour illustrer tes idées.
- Sois intéressant ou intéressante !!!

Des chiffres universels

Voici quelques préfixes utilisés pour indiquer une quantité, un rang ou un nombre.

Uni -	⇨	un	*Pent (a)*	⇨	cinq
Bi -	⇨	deux	*Hexa*	⇨	six
Tri -	⇨	trois	*Oct, octi, octo*	⇨	huit
Quadr -, quat -	⇨	quatre	*Déca -*	⇨	dix

Sers-toi des informations de cet encadré pour associer les définitions aux bons mots.

1. Bicentenaire	☐	a. Avion qui a deux moteurs.
2. Bimoteur	☐	b. Compétition olympique de cinq épreuves.
3. Décamètre	☐	c. En musique, intervalle de huit degrés.
4. Décapode	☐	d. Figure géométrique à trois côtés et trois angles.
5. Hexaèdre	☐	e. Figure géométrique qui a six côtés et six angles.
6. Hexagone	☐	f. Groupe de quatre musiciens.
7. Octave	☐	g. Mesure de longueur valant 10 mètres.
8. Octopode	☐	h. Mollusque possédant 10 bras.
9. Pentagone	☐	i. Mollusque possédant huit tentacules.
10. Pentathlon	☐	j. Paralysie des quatre membres.
11. Quadriplégie	☐	k. Polygone qui a cinq côtés et cinq angles.
12. Quadrupède	☐	l. Qui a deux cents ans.
13. Quatrain	☐	m. Qui marche sur quatre pattes.
14. Quatuor	☐	n. Solide composé de six faces.
15. Triangle	☐	o. Strophe de quatre vers.

Allez, hop ! Voilà l'Europe !

À ne pas manquer en France

Associe les monuments ou les lieux à la définition appropriée. Chaque définition comporte un ou des mots qui pourrait t'aider à établir des liens. Bonne visite !

e) le château de Versailles

1 Vaste château, célèbre pour ses magnifiques jardins, dont la construction débuta en 1624 et où habitèrent Louis XV et Marie-Antoinette pendant la révolution française en 1867.

b) l'Arc de triomphe

2 Église de Paris, située sur l'île de la Cité, dont s'inspira Victor Hugo pour son merveilleux roman qui porte son nom.

f) la cathédrale Notre-Dame de Paris

3 Le deuxième plus long fleuve de France (776 km), qui se jette dans la Manche et qui passe dans Paris. Homophone de « la scène ».

c) la tour Eiffel

4 Ancien palais des rois de France qui abrite à présent des collections d'œuvres d'art et des antiquités égyptiennes, grecques et orientales.

d) la Seine

5 Monument de Paris, en haut des Champs-Élysées, au milieu d'une place circulaire d'où rayonnent douze avenues.

a) le Musée du Louvre

6 Monument métallique d'une hauteur de 320 mètres et érigé sur le Champ-de-Mars, à Paris, pour l'Exposition universelle de 1889. Elle marque également le couronnement de la carrière de « constructeur » de monsieur Gustave Eiffel.

Une leçon amusante

Gontran a réécrit dans ses mots une fable bien connue de Jean de La Fontaine. Voici la version originale de la fable suivie de la version de Gontran.

Le Corbeau et le Renard

1 Maître Corbeau, sur un arbre perché,
2 Tenait en son bec un fromage.
3 Maître Renard, par l'odeur alléché,
4 Lui tint à peu près ce langage :
5 « Hé ! bonjour, monsieur du Corbeau.
6 Que vous êtes joli ! que vous me semblez beau !
7 Sans mentir, si votre ramage
8 Se rapporte à votre plumage,
9 Vous êtes le phénix de ces bois. »
10 À ces mots le Corbeau ne se sent pas de joie ;
11 Et pour montrer sa belle voix,
12 Il ouvre un large bec, laisse tomber sa proie.
13 Le Renard s'en saisit et dit : « Mon bon monsieur,
14 Apprenez que tout flatteur
15 Vit aux dépens de celui qui l'écoute :
16 Cette leçon vaut bien un fromage, sans doute. »
17 Le Corbeau, honteux et confus,
18 Jura, mais un peu tard, qu'on ne l'y prendrait plus.

– Jean de la Fontaine

Le Corbeau et le Renard

1 Maître Corbeau était posé sur un arbre
2 Et avait un fromage dans son bec.
3 Attiré par l'odeur, maître Renard
4 Lui dit à peu près ceci :
5 « Hé ! bonjour, monsieur du Corbeau.
6 Que tu es joli ! que tu me sembles beau !
7 Je te jure que si ton chant
8 Est aussi beau que tes plumes,
9 Tu es le roi de ce bois. »
10 En entendant ces mots, le Corbeau est fou de joie ;
11 Et pour montrer sa belle voix,
12 Il ouvre son bec très grand et le fromage tombe.
13 Le Renard prend le fromage et dit : « Cher ami,
14 Tu devrais savoir qu'un complimenteur
15 Profite toujours de celui qui l'écoute :
16 Cette leçon vaut bien un fromage, n'est-ce pas ? »
17 Honteux et mal à l'aise, le corbeau
18 Jura, un peut trop tard, qu'il ne se ferait plus prendre.

- version de Gontran

Une leçon amusante *(suite)*

Compare ces deux versions de la fable « Le Corbeau et le Renard » à l'aide des questions suivantes.

1. Quelle version de la fable préfères-tu ? Pourquoi ?

____

____

2. Quelle version est la plus poétique selon toi ? Pourquoi ?

____

____

3. Encercle les mots et expressions que tu trouves difficiles dans les deux versions. Laquelle en contient le plus ?

____

4. Dans le tableau suivant, note quelques différences entre la version originale et celle de Gontran.

Ligne n°	Version de Jean de La Fontaine	Version de Gontran
1	perché	posé

Une escapade en Italie

Gontran a lu un livre sur l'Italie. Il a écrit un petit texte pour te faire part de ses découvertes. Complète ses phrases en écrivant *on* ou *ont* selon le cas.

Croque-info

Écris *on* lorsqu'il s'agit d'un pronom personnel et *ont* s'il s'agit du verbe *avoir*.

Viva l'Italia !

L'Italie est sans conteste un pays plein de charme, dont ____________ tombe amoureux dès la première visite. ____________ ne peut faire autrement qu'apprécier l'extraordinaire variété de climats et de paysages qui ____________ tant de choses à nous montrer. Les Italiens ____________ un don pour la beauté, les arts et la gastronomie... bien sûr !

En Italie, ____________ peut faire de nombreuses acquisitions : cuir de Florence, verrerie et broderie de Venise, faïence de Toscane et bien d'autres. ____________ l'adore ce pays !

Les touristes ____________ tôt fait d'apprécier les pâtes italiennes et les glaces, qui sont réputées partout au monde. Les Italiens ____________ aussi une autre grande spécialité : le « caffè ». Là-bas, ____________ en boit à toute heure du jour. Si ____________ préfère un café un peu plus doux, c'est un caffè lungo. Si ____________ désire le plus courant, c'est l'espresso. Du vrai bon café ! Ils en ____________ pour tous les goûts.

Les habitants des villes d'Italie ____________ du plaisir à recevoir et sont très chaleureux. Rien de tel qu'une escapade là-bas pour le vérifier.

Bon voyage !

Des drapeaux symboliques

Gontran a dessiné le contour des drapeaux de certains pays d'Europe. À toi de compléter chaque drapeau selon les consignes données. Puis, compare tes drapeaux à ceux qui figurent dans le dictionnaire ou dans un atlas.

1. Allemagne :
a) divise le drapeau horizontalement en trois sections égales ;
b) la section supérieure est noire ; la suivante est rouge et la dernière est jaune.

2. Autriche :
a) divise le drapeau de la même manière que celui de l'Allemagne ;
b) la section centrale est blanche alors que les deux autres sont rouges.

3. Belgique :
a) verticalement, sépare le drapeau en trois parties égales ;
b) les couleurs de ces parties sont, de gauche à droite : noire, jaune, rouge.

4. Finlande :
a) divise le drapeau en deux parties égales à l'aide d'une épaisse ligne bleue horizontale ;
b) trace une autre épaisse ligne bleue verticalement au premier tiers gauche du drapeau.

5. Italie :
a) identique au drapeau de la Belgique à l'exception des couleurs qui sont : vert, blanc et rouge.

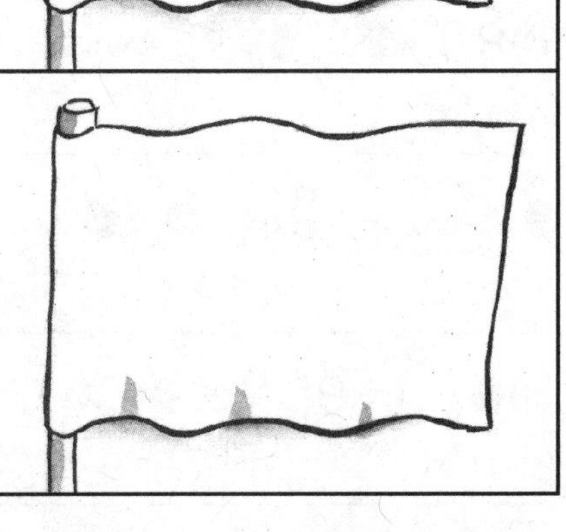

Un code de symboles

Gontran t'a écrit un message codé. Tente de le déchiffrer.

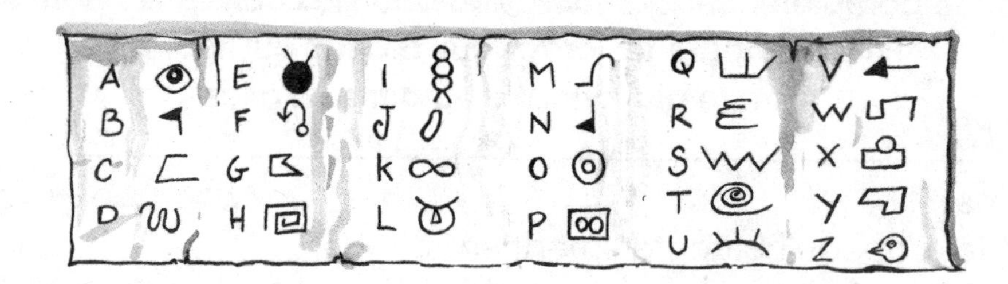

Un message bien spécial!

À ton tour de composer un message codé.
Invente ton propre code puis écris un message à quelqu'un.

Mon code

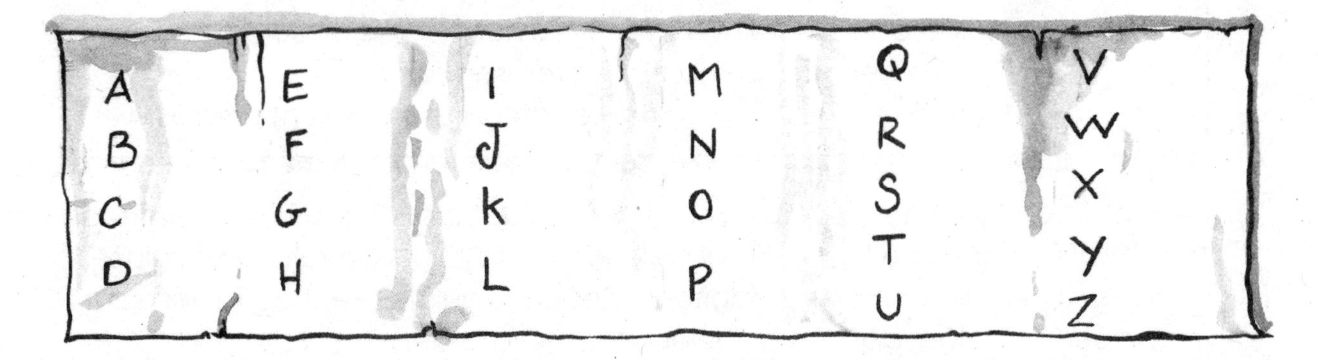

Mon message codé

Vivre à Madrid...

1 Le texte suivant contient de nombreux participes passés employés avec *être*. Dans chaque cas, encercle celui qui est accordé correctement avec le sujet.

> **Croque-info**
>
> Le participe passé employé avec l'auxiliaire *être* s'accorde en genre et en nombre avec son sujet.
> *Exemples :* L'amitié est très appréci**ée.** Les enfants semblaient press**és.**

Madrid, la capitale de l'Espagne, est (située, situées, situé, situés) au centre du pays, à 655 mètres d'altitude. Sa population est (évaluée, évaluées, évalué, évalués) à plus de 4 millions d'habitants. Les gens qui habitent cette ville sont (appelées, appelée, appelé, appelés) des « Madrilènes ».

Madrid offre une grande variété de musées. Le plus connu est le musée du Prado, un des plus beaux au monde. L'architecture du bâtiment et les œuvres qui y sont (exposées, exposée, exposés, exposé) sont (admirées, admirée, admiré, admirés) par des millions de visiteurs chaque année.

Au premier rang en Espagne pour ses activités économiques, Madrid se démarque avec ses importantes activités industrielles qui se sont (développées développée, développé, développés) surtout en banlieue.

Avec ses siècles d'histoire, la ville de Madrid est (devenues, devenue, devenus, devenu) un site touristique à découvrir absolument.

2 Relève dans le texte cinq adjectifs qualificatifs.

____

____

____

____

____

Une ponctuation adéquate

1 **Voici une conversation téléphonique avec Gontran et son ami. Ajoute la ponctuation manquante (. ? !) dans les phrases.**

« Enfin__ Je peux te parler__

— As-tu fait tes devoirs pour demain__

— Oui__ J'ai eu un peu de difficulté en français__

— Combien de phrases as-tu composées__

— Dix__ Et toi__

— Même chose__ Est-ce que tu manges à la cafétéria demain__

— Oh oui__ Il y aura de la pizza__

— En es-tu certain__ Je ne le savais pas__ J'adore la pizza__

— Je dois raccrocher__ Mon père veut téléphoner__

— D'accord__ À demain__ »

2 **Compose trois phrases interrogatives.**

____

____

____

3 **Compose trois phrases exclamatives.**

____

____

____

4 **Compose trois phrases déclaratives.**

____

____

____

Faire durer le plaisir

Savais-tu que le verbe *faire* est le verbe le plus utilisé en français ?
Gontran en a un peu abusé dans ce courriel
qu'il a écrit à son ami alors qu'il visitait la France.
Réécris son message en évitant l'utilisation du verbe faire.

Bonjour Julie,

Quel beau voyage je fais ! Je fais de mon mieux pour faire de ce voyage une réussite. Depuis mon arrivée, j'ai fait plein de trucs. Hier, par exemple, j'ai fait quelques achats dans les boutiques de mode de Paris. En faisant ma promenade, j'ai vu un salon de coiffure et je me suis fait couper les cheveux... J'ai bien hâte d'aller faire un tour chez toi et de te montrer ma nouvelle tête. En attendant, je t'ai fait un dessin pour te donner une idée de ma coupe de cheveux. J'aimerais que tu fasses quelque chose pour moi : peux-tu faire le tour de nos amis et me faire parvenir leur adresse, j'ai fait la gaffe d'oublier mon carnet d'adresses ! Et toi, que fais-tu ces temps-ci ? Allez, je te fais trois grosses bises à la française !

Fais attention à toi.
Gontran

Bonjour Julie,

66

Quel beau voyage je vis ! Je

À la découverte des mots

Lis les indices et écris les mots qui forment le périmètre des carrés.

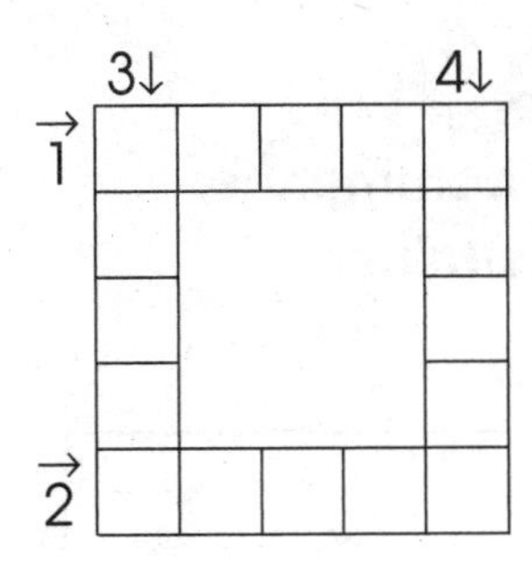

1. On en prend généralement trois par jour. (r s p a e)
2. Celui ou celle qui reçoit un enseignement dans un établissement scolaire. (e e e l v)
3. Instrument servant à tracer des lignes ou à mesurer une longueur. (e e g r l)
4. Bouillon épaissi avec des croutons et des légumes. (s e p u o)

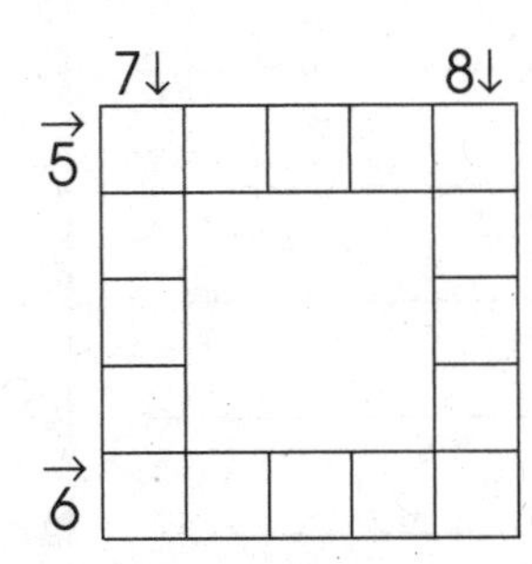

5. Volaille, femelle du coq. (e p o l u)
6. Qui est isolée, solitaire. (e e s l u)
7. Sur le globe terrestre, il y en a un au nord et un au sud. Il y a deux... (s ô l p e)
8. Établissement d'enseignement. (e e o c l)

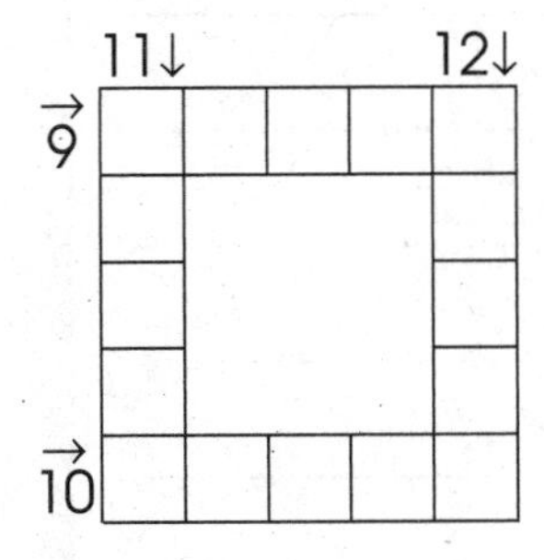

9. Mot dont le pluriel est « canaux ». (a a l c n)
10. Fête foraine qui a lieu à une certaine époque de l'année. (e o r i f)
11. Petit couteau de poche à une ou plusieurs lames. (a f i n c)
12. Lentille de verre qui grossit les objets. (o p u l e)

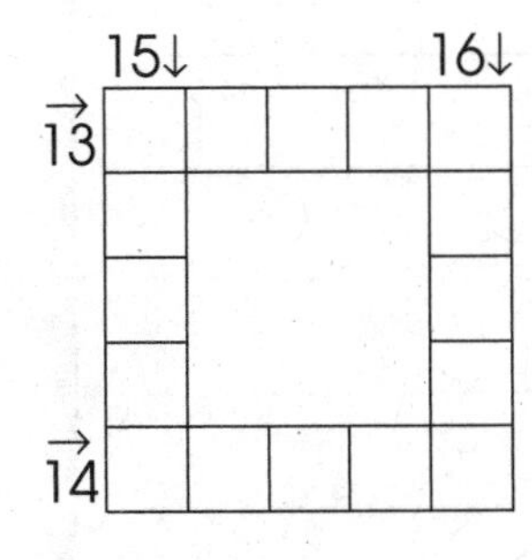

13. Bâtonnet de pomme de terre frit. (r t i f e)
14. Préparation faite d'une pâte amincie au rouleau et garnie de crème, de fruits ou autres. (e r t t a)
15. Objet composé de mailles entrecroisées, servant à divers usages. (t f l e i)
16. Louange, le fait de dire du bien de quelqu'un. (e e o l g)

Une histoire... à faire frissonner !

**Gontran est invité à dormir chez son ami Antoine.
Ils adorent se raconter des histoires à faire peur. Gontran a commencé à raconter la sienne, mais il s'est endormi avant de la terminer.
Continue l'histoire à ta façon.**

Un nouveau jeu très accaparant...

Dans le grenier de mon grand-père, j'ai déniché un jeu très bizarre. Je me suis installé avec mon ami et nous avons commencé la partie...

Des mots étrangers

La langue française est très riche. Elle comprend des mots qui nous viennent d'autres langues. Laisse-toi guider par le sens des phrases suivantes pour associer aux mots soulignés les définitions de l'encadré suivant.

a) Blague
b) Fourrure de putois ou de loutre
c) Grosse prune
d) Petit oiseau dont la chair se mange
e) Qui n'a pas d'énergie.
f) Capuchon de moine
g) Gros harpon
h) Papillon de nuit, jaune et roux
i) Pied
j) Renard polaire

1. Que peut-on faire pour intéresser cet élève avachi ? ☐
2. Je mettrai ce cuculle sur ma tête pour compléter mon déguisement. ☐
3. La sole peut se pêcher à la foëne. ☐
4. Mon grand-père me fait rire quand il me raconte ses vieilles galéjades. ☐
5. La fourrure de ces isatis est grise en été et blanche en hiver. ☐
6. Ce chapeau russe est en kolinski. ☐
7. *Manger des ortolans*, signifie que l'on mange des mets coûteux et raffinés. ☐
8. Cette tarte aux quetsches est délicieuse ! ☐
9. La longue marche me donne mal aux ripatons. ☐
10. Je pars en excursion nocturne afin d'attraper quelques xanthies. ☐

Et si nous partions en voyage?

Dans chaque série, encercle le verbe qui n'est pas conjugué au même temps que les autres.

a) Je voyage
Tu connais
Nous voyagions
On s'informe
Elles traversent

b) Nous escaladerions
Elle marcherait
Nous irions
Vous chasseriez
Je m'évaderai

c) Elles quittaient
Ils marchaient
Tu réservais
Ils iraient
Je rêvais

d) J'aurai voyagé
Vous aurez réservé
Ils auront marché
Tu as visité
Nous aurons exploré

e) Nous avions quitté
Vous avez dégusté
Elles ont guidé
Il est allé
Vous êtes tombés

f) Il photographia
On marcha
Elles escaladèrent
Nous regardions
Ils allèrent

g) Traverse
Visiter
Photographions
Allez
Conduisons

h) Vous aviez escaladé
Elles avaient parcouru
Nous avons exploré
Ils avaient guidé
Tu avais réservé

i) Nous traverserons
Vous réserverez
Elles guideront
Ils photographieront
Je connaîtrais

j) Explorer
Connaître
Conduisant
Photographier
Escalader

Dialoguer avec les gens de la place

Croque-info

Lorsqu'on rapporte directement les paroles de quelqu'un dans un texte, on encadre ces paroles de guillemets (« »). Pour annoncer cette citation, on met un deux-points (:). *Exemple*: Il s'écria: «Ciel! j'ai gagné!»
Lorsqu'il s'agit d'un dialogue, on met toujours un tiret long (—) devant chaque réplique. *Exemple*: — Où as-tu rangé mon crayon?
— Je l'ai rangé dans mon étui à crayons.

1 Ajoute les deux-points, les tirets et les guillemets manquants.

a) Elle a entendu Julien chuchoter C'est moi qui ai caché son livre.

b) Ça te dirait de venir au cinéma avec moi ce soir?
Oui, mais je dois d'abord demander à mes parents.
Rappelle-moi pour me donner ta réponse.

c) En entrant au bistrot, l'homme s'est exclamé Que la fête commence!

d) Combien coûte cette montre monsieur?
À peine 300 euros mon garçon.
Oh! c'est beaucoup trop pour moi. Merci.
Attends, j'ai un modèle semblable à moindre prix.
C'est bien gentil, mais je dois quitter. Bonne journée
Bonne journée jeune homme.

e) Sais-tu ce que sa mère lui a répondu?
Non.
Elle lui a dit: Si tu persistes à jurer ainsi, je te laverai la langue avec du savon.
Vraiment? Tu crois qu'elle le ferait?
Non, mais elle était vraiment fâchée.

Des cavernes invitantes

Gontran rêve d'aller visiter des grottes, ces cavernes mystérieuses où il y a tellement de choses à voir. Lis le texte qui suit, puis réponds aux questions de la page suivante.

Encore des cavernes !

Mon oncle m'impressionne ! C'est un homme utile à la société. Il est spéléologue en France, c'est-à-dire qu'il étudie et explore les cavités naturelles du sous-sol. Il travaille plus particulièrement dans la caverne la plus profonde au monde, c'est-à-dire le gouffre Jean-Bernard, dans les Alpes françaises. Ce gouffre s'enfonce à 1565 mètres sous terre.

Mon oncle Paul adore scruter les profondeurs souterraines. Il a d'ailleurs eu la chance d'observer de près de fantastiques stalactites. Ces fameuses stalactites se forment grâce à des gouttelettes d'eau qui suintent de la voûte et qui contiennent d'infimes particules de calcaire. Ces particules se déposent sur la voûte de la caverne et s'y accumulent pour former des stalactites. Très souvent, la gouttelette d'eau coule le long de la stalactite et tombe finalement sur le plancher, formant ainsi les stalagmites. Lorsqu'un couple stalactite-stalagmite est réuni, on obtient une colonne. Fantastique !

Qu'est-ce qui creuse les cavernes ? Mon oncle a bien su m'informer. L'eau est la grande responsable du creusement des cavernes. Elle s'infiltre tout d'abord dans les fentes des roches. Puis les fentes s'agrandissent à cause de l'usure et forment des galeries. Parfois, il y a de très grandes cassures, appelées « failles ». Lorsque ces failles sont très grandes, on parle de cavernes.

La plupart des cavernes existantes sont vieilles de millions d'années. Par contre, dans certaines régions, au Québec par exemple, quelques cavernes sont âgées de moins de 10 000 ans. Quel superbe métier que d'être spéléologue ! Mais ce n'est pas pour moi, car je déteste l'humidité et surtout… la noirceur !

Des cavernes invitantes *(suite)*

Associie chaque question à la réponse correspondante.

Questions

1. Quel est le sujet du texte ? ☐
2. Quel est le métier de l'oncle Paul ? ☐
3. En quoi consiste ce métier ? ☐
4. Où se trouve la caverne la plus profonde au monde ? ☐
5. Quelle est la profondeur de cette caverne ? ☐
6. Quels autres termes emploie-t-on dans le texte pour désigner « caverne » ? ☐
7. Quel mot du texte signifie « observer attentivement » ? ☐
8. Comment se forment les « stalactites » ? ☐
9. Comment se forme une « colonne » ? ☐
10. Qu'est-ce qui creuse les cavernes ? ☐
11. Indique l'âge de certaines cavernes au Québec. ☐
12. Que faut-il être capable de tolérer pour devenir spéléologue comme l'oncle Paul ? ☐

Réponses

a. 1565 mètres.

b. Cavités, profondeurs souterraines, gouffre.

c. Certaines sont âgées d'au moins 10 000 ans.

d. Dans les Alpes françaises.

e. Des gouttelettes d'eau, qui contiennent d'infimes particules de calcaire, suintent de la voûte. Ces particules se déposent à la voûte et s'y accumulent.

f. Étudier et explorer les cavités naturelles du sol.

g. Il est spéléologue.

h. L'eau.

i. L'humidité et la noirceur.

j. Les cavernes.

k. Lorsqu'un couple stalactite-stalagmite se réunit.

i. Scruter.

Voyages à travers l'Europe

Gontran te pose quelques devinettes.
Tu n'as qu'à replacer dans le bon ordre les lettres de la colonne de gauche pour recomposer le nom de la ville.

e e è G n v

a) C'est une grande ville suisse. On y trouve le superbe lac Léman.

____

c e e F l n o r

b) Ville célèbre pour ses articles en cuir. C'est la capitale des arts italiens, qui offre une vue superbe du haut de la Campanile di Giotto.

____

B e e l l r s u x

c) Capitale de la Belgique où l'on peut visiter de nombreux musées. On y parle le français (85 %) et le néerlandais (15 %).

____

c M o o s u

d) Ville russe de 1060 km^2. Sa bibliothèque est l'une des trois plus grandes au monde.

____

a i P r s

e) On l'appelle la « Ville lumière ». On y trouve la place de la Concorde, l'Arc de triomphe et bien d'autres merveilles.

____

d e L n o r s

f) Place mondiale de la finance, célèbre pour le palais de Buckingham et la reine qui y habite.

____

A e è h n s t

g) Capitale de la Grèce et ville très riche en monuments antiques. L'été, la chaleur rend cette ville étouffante.

____

i O o s

h) Cette capitale est située au fond du seul grand fjord de la Norvège.

____

Un pour tous !

Complète ces séries de mots composés en ajoutant le mot manquant.

a) ______________ -boue
-chasse
-manger

b) ______________ -brise
-chocs
-feu

c) ______________ -bonheur
-clés
-parole

d) ______________ -nez
-monseigneur
-sans-rire

e) ______________ -est
-africain
-américain

f) ______________ -mère
-père
-oncle

g) ______________ -feu
-pieds
-lit

h) ______________ -delà
-dessus
-dehors

i) ______________ -partout
-droit
-montagne

j) ______________ -auto
-glace
-mains

Une valise pleine de mots

Sauras-tu trouver les 20 noms masculins dans cette valise ? Encercle-les.

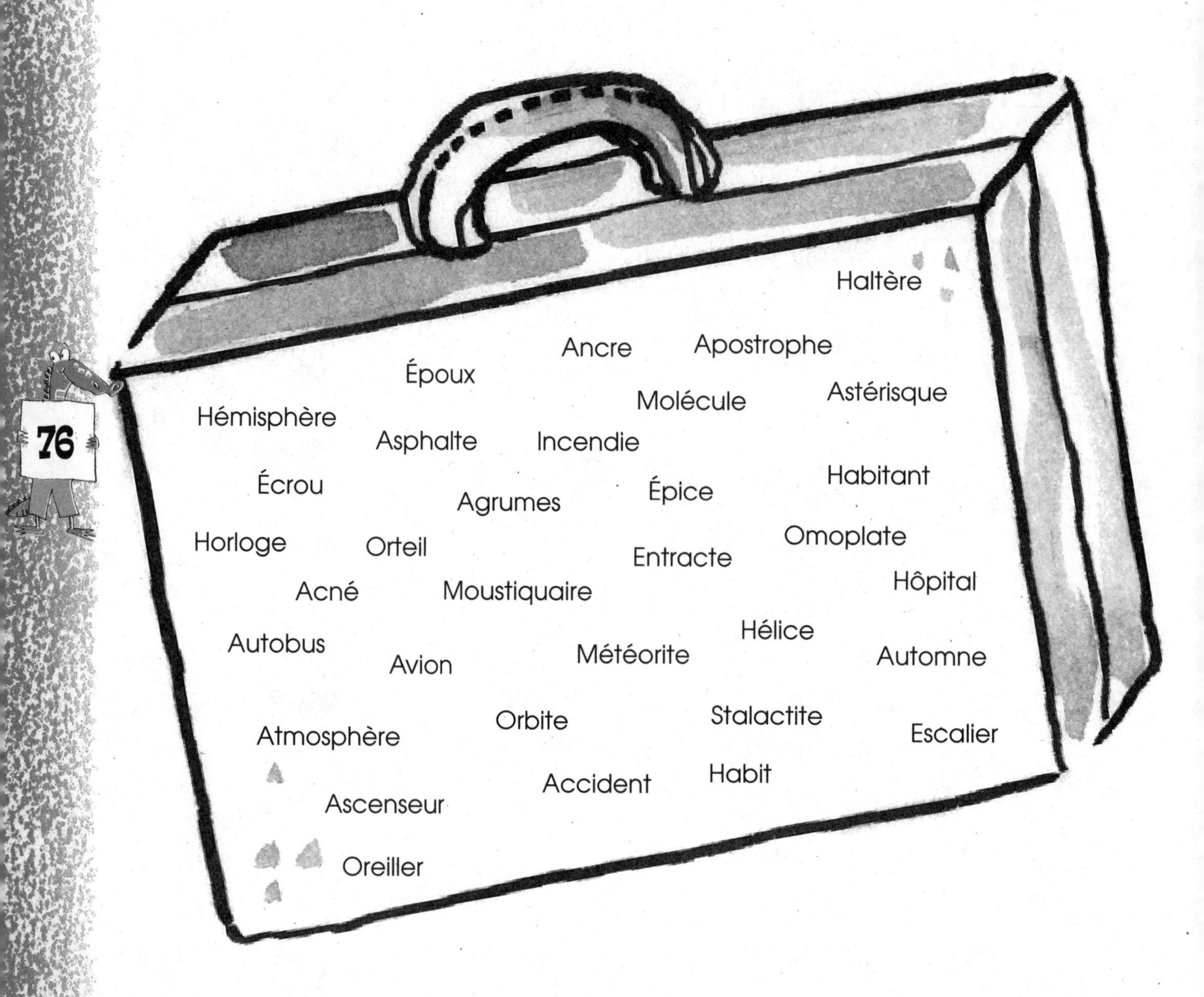

Un passe-temps à découvrir

Gontran s'amuse à écrire des pyramides de mots.

C
Ç**A**
CA**S**
CAS**E**
CASE**R**
CAS**S**ER
C**H**ASSER
CHA**U**SSER
CHAUSSER**A**
CHAUSSERA**S**

M
M**E**
AME
RAME
RAM**P**E
CRAMPE
CRAMPE**R**
CRAMPER**A**
CRAMPERA**S**
CRAMPERA**I**S

À ton tour ! Choisis une lettre de départ, à chaque ligne, forme un nouveau mot en ajoutant une lettre au mot précédent. Amuse-toi bien !

Des idées exotiques

Observe, pendant quelques minutes, cette illustration inspirée d'une toile de Vincent Van Gogh.

Exprime, en quelques phrases, à quoi te fait penser cette illustration.

Quel méli-mélo !

Repère les mots dans la grille et découvre un message.

A	A	R	E	S	T	A	U	R	A	N	T	E	M	E	T	M
E	R	R	E	L	U	S	N	I	N	E	P	M	E	P	O	A
N	R	C	C	R	V	C	I	C	I	D	A	S	V	P	U	G
E	I	I	H	H	I	I	O	A	H	I	R	I	S	A	R	A
T	X	A	O	I	E	M	L	A	L	A	C	N	I	M	I	S
N	P	O	R	T	T	O	P	L	C	A	P	R	E	O	S	I
E	E	A	T	O	I	E	L	O	E	M	P	E	C	P	T	N
M	X	U	Y	I	P	R	C	O	R	A	G	D	L	N	E	A
U	N	P	T	S	S	M	R	T	G	T	E	O	E	L	C	G
N	C	R	O	A	A	M	E	E	U	I	A	M	R	H	E	E
O	O	Q	U	R	T	G	E	T	T	R	E	T	A	U	R	E
M	M	O	T	S	T	S	E	E	N	S	E	T	I	I	O	N
A	M	A	R	O	N	A	P	E	Y	O	E	U	O	O	R	T
E	L	A	R	D	E	H	T	A	C	A	C	T	O	P	N	E
V	O	Y	A	G	E	R	P	I	U	E	S	I	L	G	E	E
A	R	C	H	E	S	E	S	N	O	I	S	R	U	C	X	E
E	E	S	U	M	D	R	U	E	H	N	S	N	I	A	R	T

architecture
arches
archéologie
axe
cathédrale
chapelle
château
contemporain
dépaysement
église
excursions
exotisme
exportation
histoire
importation
magasinage
mappe
modernisme
monument
musée
palais
panorama
paysage
péninsule
restaurant
rue
siècle
statue
territoire
tour
touriste
trains
ville
voyager

_ _ _ _ _   _'_ _ _ _ _ _   _ _ _ _ _ _ _ _ _ _

_ _ _ _ _ _-_ _ _   _ _   _ _ _ _ _ _.

L'Afrique... très exotique !

De magnifiques animaux d'Afrique

Complète les phrases ci-dessous en conjuguant les verbes au futur simple de l'indicatif.

Un serval est un petit félin vivant dans la savane africaine. Un mandrill est un singe au museau rouge et bleu.

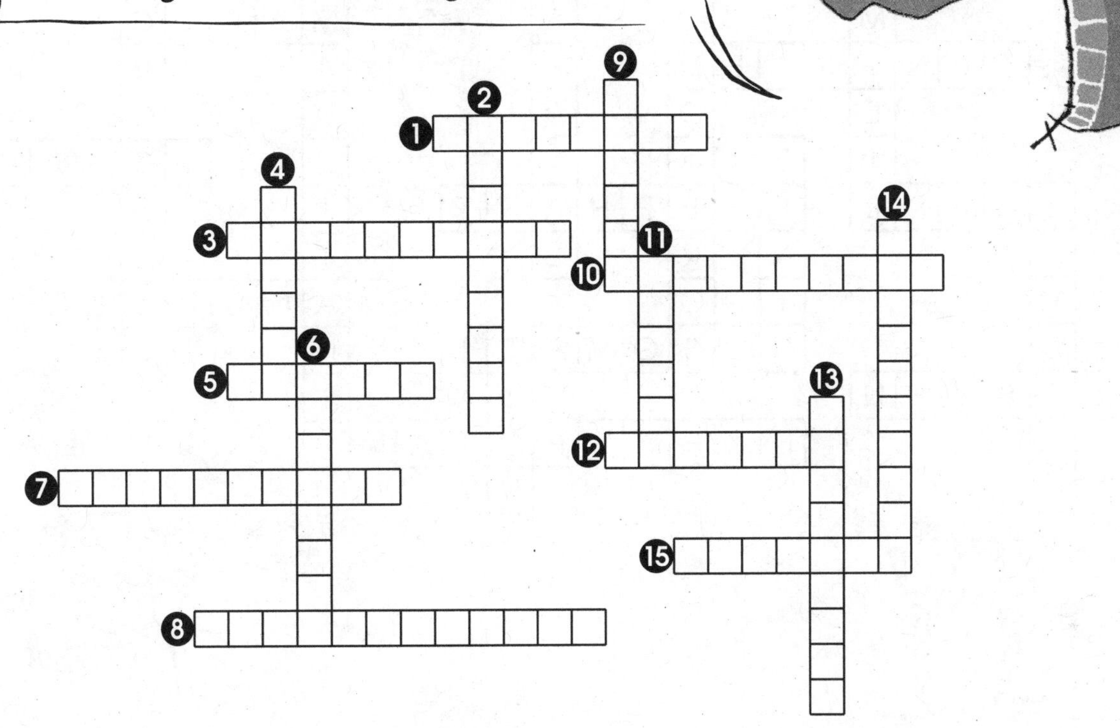

1. L'éléphant (marcher) ______________________ dans la brousse africaine.
2. La girafe (allonger) ______________________ son grand cou pour manger des feuilles.
3. Les chimpanzés (grimper) ______________________ dans les arbres feuillus.
4. Le toucan (crier) ______________________ très fort dans la jungle.
5. L'alligator (nager) ______________________ calmement dans le marais.
6. L'antilope (galoper) ______________________ dans les sentiers poussiéreux.
7. Les caméléons (changer) ______________________ de couleur.
8. L'hippopotame (éclabousser) ______________________ le gardien qui le nourrit.
9. Les mandrills (faire) ______________________ des pirouettes dans l'herbe humide.
10. Le porc-épic (traverser) ______________________ le chemin bordé d'arbustes.
11. Le serval (rugir) ______________________ en observant sa proie.
12. Le rhinocéros (barrir) ______________________ quand il aura très faim.
13. Les zèbres (manger) ______________________ de l'herbe en grande quantité.
14. La vipère se (prélasser) ______________________ sous le chaud soleil du mois de juin.
15. Le chacal (japper) ______________________ en apercevant un rat.

La vie en Afrique

Après les avoir cherchés dans un dictionnaire, classe les mots de la grille dans les trois catégories ci-dessous.

Horizontalement : NIGÉRIEN, KENYA, MAROC, TUNISIEN, TCHAD, ZÈBRE, ÉLÉPHANT, MANDRILL, SOMALIE, LIBYEN, HIPPOPOTAME

Verticalement : NAMIBIE, RHINOCÉROS, SERVAL, MAURITANIE, CROCODILE, BÉNIN, ZAMBIEN, LION

Pays africain	Habitant d'un pays africain	Animal d'Afrique

As-tu un accent ?

Voici quelques exercices sur des mots pour lesquels les fautes d'accent sont fréquentes.

1. Dans chaque cas, encercle la paire de mots qui est bien écrite.

a)	b)	c)
pole, pôlaire	jeûner, déjeuner	grace, gracieux
pôle, polaire	jeuner, déjeûner	grâce, grâcieux
pôle, pôlaire	jeûner, déjeûner	grâce, gracieux

2. Ajoute les accents circonflexes nécessaires.

a) ainé b) fraiche c) bateau d) mat
e) crepe f) piqure g) égout h) gout

3. Ajoute les trémas nécessaires.

a) égoiste b) protéine c) ouie d) naif
e) épi de mais f) canoe g) canif h) poème

4. Ajoute les accents aigus et les accents graves.

a) celeri b) cremerie c) poesie d) reglementaire
e) assechement f) secheresse g) necessaire h) boheme
i) reglement j) sec

Une famille africaine

**La famille de Djénéba
et celle de Gontran
se sont amusés à découvrir
des mots de même famille.
À ton tour d'ajouter un verbe
qui complétera chaque famille !**

Exemple : accompagnateur, accompagnement, compagnon, accompagner

1. adoucissant, adoucissement, doux, ____________________
2. démolissage, démolition, démolisseur, ____________________
3. amélioration, améliorant, améliorable, ____________________
4. échappatoire, échappement, échappé, ____________________
5. approchable, approche, approché, ____________________
6. arrêt, arrêtoir, arrestation, ____________________
7. rapport, rapportage, rapporteur, ____________________
8. déménagement, déménageur, déménagé, ____________________
9. commande, commandement, commandant, ____________________
10. colorage, coloration, couleur, ____________________
11. apprenti, apprentissage, appris, ____________________
12. connaissance, connaisseur, connu, ____________________
13. accroc, accrochage, accrocheur, ____________________
14. coulant, coulée, écoulement, ____________________

D'extravagantes charades

Amuse-toi à résoudre les charades suivantes.

1. Mon premier est synonyme du mot époux. ______
Mon second est la durée écoulée depuis la naissance. ______
Mon tout est l'acte solennel qui unit l'homme à la femme.
Réponse : ______

2. Mon premier est une couleur entre le noir et le blanc. ______
Mon deuxième est un nom synonyme de *creux*. ______
Mon troisième a deux narines. ______
Mon tout est l'action d'écrire très mal ou hâtivement.
Réponse : ______

3. Mon premier est un déterminant possessif féminin. ______
Mon deuxième n'est pas vêtu. ______
Mon troisième est un compte à payer. ______
Mon tout est un vaste établissement industriel
où l'on fabrique des produits. Réponse : ______

4. Mon premier sert à faire cuire des aliments. ______
Mon deuxième est la troisième note de la gamme. ______
Mon troisième est un meuble sur lequel on se couche
pour dormir ou pour se reposer. ______
Mon quatrième est synonyme du mot « époque ». ______
Mon tout désigne l'habitation des fourmis.
Réponse : ______

5. Mon premier est une étendue de terre cultivable. ______
Mon deuxième est un endroit où l'on vend des boissons
et où l'on peut en consommer. ______
Mon troisième est un petit cube à points noirs. ______
Mon tout signifie « bouleverser de fond en combles,
saccager ».
Réponse : ______

Un voyage qui transforme

Croque-info

Une phrase active est une phrase où le sujet fait l'action.
Exemple: Noah mange une noix.
Une phrase passive est une phrase où le sujet subit l'action.
Exemple: La noix est mangée par Noah.

1. Transforme les phrases actives suivantes en phrases passives:
   - utilise l'auxiliaire être;
   - inverse la position du groupe complément et du groupe sujet;
   - utilise la préposition *par* devant le groupe complément.

a) Les éléphants parcourent la jungle.

____

b) Les Africains apprécient la présence des étrangers.

____

c) Les zèbres ne digèrent pas complètement les végétaux.

____

d) Le buffle africain apprécie les baignades dans la boue.

____

e) La jungle africaine impressionne les touristes.

____

2. À ton tour d'imaginer quelques phrases à la forme passive.

____

____

____

____

____

____

____

____

Une correspondance avec l'Afrique

Gontran a commencé à écrire une lettre à son ami Azaan pour lui décrire son pays, mais il n'a pas terminé. Termine sa lettre en parlant de la végétation, des saisons et des animaux de ton pays. Explique aussi les activités qu'on y pratique.

le ____________________

Cher Azaan,

J'ai reçu ta lettre dans laquelle tu me décris ton pays et tes coutumes.
À moi maintenant de tenter de te démontrer les avantages de mon univers.
En quelques lignes, je peux te dire que ______________________________

La chaleureuse savane

Indique le mode des verbes soulignés.

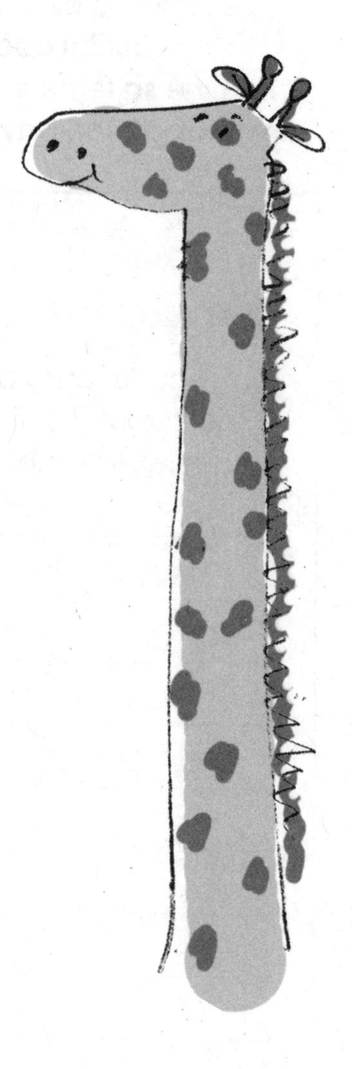

❶ Du haut de leur grandeur, les girafes scrutent (______________________) inlassablement l'horizon afin de découvrir (______________________) l'ennemi à temps et de maintenir (______________________) une bonne distance entre elles et leurs prédateurs.

❷ Dans la savane africaine, les éléphants, rassemblés en groupe matriarcaux, ont passé (______________________) les heures les plus chaudes de la journée à l'ombre des acacias, s'éventant (______________________) doucement avec leurs grandes oreilles.

❸ Les zèbres consacrent (______________________) une grande partie de leur temps à brouter. Ils digèrent (______________________) les végétaux de façon incomplète et n'en tirent (______________________) qu'un médiocre profit. Ils doivent (______________________) donc en ingérer (______________________) une quantité importante.

❹ Installé (______________________) dans la poche ventrale de sa mère, le petit kangourou est (______________________) en âge d'être sevré (______________________). Toutefois, il ne quittera (______________________) définitivement son abri que lorsqu'il sera (______________________) tout à fait capable de se suffire (______________________) à lui-même.

Un monde caché

Gontran te livre un message. Découvre-le en conjuguant les verbes à la 2e personne du singulier de l'imparfait de l'indicatif, puis en rassemblant les lettres-indices. Retranscris le message au bas de la feuille.

1. travailler	5. contempler	9. encercler	13. ridiculiser	17. sourire
2. connaître	6. rendre	10. soumettre	14. courir	18. siffler
3. envoyer	7. sortir	11. observer	15. rechercher	19. planter
4. changer	8. tordre	12. nourrir	16. rédiger	20. tenir

1
2
3
4
5
6
7
8
9
10
11
12
13
14
15
16
17
18
19
20

Le message est :

!

Tribus et attributs

1 Accorde correctement les attributs dans les phrases suivantes.

Croque-info

Un attribut est un mot ou un groupe de mots qui précise le sujet.
Il est généralement précédé de verbes tels que *être, paraître, devenir, sembler, rester, demeurer. Exemples*: Elle est malade. Ces fleurs sont à moi.
Lorsque l'attribut est un adjectif, il s'accorde en genre et en nombre avec le noyau du groupe sujet. *Exemple*: Ghalyela demeure muette.

a) Les pichets d'eau semblent plutôt lourd_____.

b) La musique africaine est très rythmé_____.

c) Pourquoi la lune et les étoiles nous paraissent-elles inatteignable_____?

d) Nyamu et Oko sont des garçons calme _____ alors que leurs sœurs Dene et Faraa sont plutôt turbulent_____.

e) Mes vacances en Afrique deviennent coûteu_____, mais elles sont si agréable_____.

2 Complète les phrases suivantes avec tes propres idées. Prête une attention particulière à l'accord des attributs.

a) En sixième année, les devoirs paraissent _____________________________.

b) Mon amie est de plus en plus _____________________________.

c) J'aimerais être moins _____________________________.

d) L'Afrique semble _____________________________.

e) Elles veulent devenir _____________________________, mais elles semblent si _____________________________.

Un désert de romans

Lis ces quelques résumés de livre et numérote-les de 1 à 3, 1 étant l'extrait du livre qui suscite le plus ton intérêt et 3, l'extrait du livre qui suscite le moins ton intérêt.

Raïsha, fille du désert

Raïsha appartient à une tribu nomade du Sahara, les Touareg. Sa famille est noble, et Raïsha est fière de son origine. Avec ses nombreux frères et sœurs, Raïsha grandit au rythme du soleil et de la pluie. C'est pourquoi Raïsha dit parfois que le désert est sa mère, le vent son frère, la nuit sans lune sa sœur. Mais elle est aussi comme toutes les jeunes filles de son âge... Raïsha rêve d'un bel inconnu au visage caché.

Raïsha, fille du désert
Carine Verleye
Flammarion, 2003
ISBN : 2081616149

Le cadeau du désert

Un avion tombe en panne dans le désert. Au beau milieu des dunes, en plein Sahara. Son pilote est désespéré : rien, ni personne, à des kilomètres à la ronde ! Mais le désert n'est pas aussi vide qu'il n'y paraît. Il a bien des cadeaux à offrir.

Le cadeau du désert
Claire Le Grand / Christian Jolibois
Milan, 2003 (Milan poche cadet)

Bo, l'enfant pluie

Dans le désert du Kalahari, en plein cœur de l'Afrique, la tribu des Bushmen vit au rythme des saisons. Cette année la pluie tarde à venir et la vie du petit village africain est menacée. Bo, accompagné de son amie Ada, décide de percer le secret des babouins, seuls animaux à ne pas souffrir de la soif. Un matin, les deux enfants quittent furtivement le campement...

Bo, l'enfant pluie
Gunter Preuss
Flammarion, 2002
(Castor poche sénior)

On compte sur toi...

Transcris les phrases suivantes en écrivant les nombres en lettres.

Croque-info

Les nombres *vingt* et *cent* prennent un *s* au pluriel lorsqu'ils terminent le nombre ET qu'ils sont multipliés par un autre nombre. *Exemples*: quatre-vingts (4 × 20), quatre-vingt-deux, mille trois cents (3 × 100), mille trois cent huit.

a) 300 enfants sont invités à la fête.

____

b) 80 pommes ont été cueillies.

____

c) Ce livre contient 482 pages.

____

d) L'enseignant a acheté 90 crayons.

____

e) Cette salle peut accueillir 220 personnes.

____

f) Ce pont voit circuler 1500 voitures par heure.

____

g) Nous vous livrerons trois cent 82 planches.

____

h) Ce billet de 20 dollars est faux.

____

i) L'exposition compte 220 exposants.

____

j) La ville doit planter près de 500 arbres.

____

Des virelangues

Exerce-toi à lire ces virelangues à haute voix de plus en plus rapidement.

Virelangue 1
Je veux et j'exige. J'exige et je veux.

Virelangue 2
Sachez, mon cher Sacha, que Natacha
n'attacha pas son chat Chablis.

Virelangue 3
Fruits frais, fruits frits, fruits cuits, fruits crus.

Virelangue 4
Chez les Papous, il y a des Papous papas et
des Papous pas papas et des Papous à poux
et des Papous pas à poux. Donc, chez les
Papous il y a des Papous papas à poux et
des Papous papas pas à poux et des Papous
pas papas à poux et des Papous pas papas
pas à poux.

Virelangue 5
La triste aventure de Coco le concasseur
de cacao Coco, le concasseur de cacao,
courtisait Kiki la cocotte. Kiki la cocotte
convoitait un caraco kaki à col de caracul;
mais Coco, le concasseur de cacao, ne
pouvait offrir à Kiki la cocotte qu'un caraco
kaki sans col de caracul. Le jour où Coco,
le concasseur de cacao, vit que Kiki la cocotte
arborait un caraco kaki à col de caracul,
il comprit qu'il était cocu.

Une fête à l'africaine

Gontran a invité plusieurs amis chez lui pour une fête sur le thème de l'Afrique. Il y avait de la musique, de la danse africaine et certains plats spéciaux. Il te propose un petit jeu : Devine l'âge des personnes présentes à la fête de Gontran à l'aide des indices contenus dans le texte suivant. Note tes réponses dans le tableau de la page suivante en indiquant chaque fois l'indice qui t'a aidé.

Salut !

À ma superfête, il y avait des jeunes de tous les âges, dont moi qui ai 12 ans. Parmi les élèves de ma classe de 6e année, il y avait Samuel qui est du même âge que moi. Son frère Justin l'accompagnait, mais il a plutôt passé son temps à discuter avec mon père. C'est normal : il a le double de notre âge.

Karina, une amie de la polyvalente avec qui j'ai une différence de deux ans, s'est présentée avec sa copine Sally. Malgré qu'elle ait un an de plus que lui, Samuel en est amoureux. Comme Sally devait garder ce soir-là sa petite sœur Julie, qui a le tiers de l'âge du frère de Samuel, je lui ai suggéré de l'amener avec elle, Elle a tenu compagnie à ma sœur Lulu, de trois ans ma benjamine.

Ma mère nous surveillait du coin de l'œil et venait nous montrer ses talents en danse africaine. Ma mère a le même âge que mon père : soit la somme de mon âge et de celui de Samuel et de Lulu.

Finalement, mes deux grands copains jumeaux, Cori et Carlo, qui ont à peine douze mois de moins que moi, sont venus passer deux heures avec nous. On a eu beaucoup de plaisir.... L'Afrique est un beau continent. J'aimerais le visiter... un jour.

Gontran

Une fête à l'africaine *(suite)*

Remplis le tableau à l'aide du texte de la page précédente.

Personnes présentes	Âge	Indice
Carl	11	Frère jumeau de Carlo, a un an (12 mois) de moins que Gontran.
Carlo	11	
Lulu	9	
Gontran	12	
Julie	8	
Justin	24	
Karina	14	
Mère de Gontran	34	En additionnant l'âge de Gontran, de Lulu et de Samuel.
Père de Gontran	34	
Sally	13	
Samuel	12	

Promenade au Kenya

Transforme chaque phrase négative en une phrase interrogative à la forme positive.

Ex. : Alex n'a pas observé les oiseaux dans les arbres.
Alex a-t-il observé les oiseaux dans les arbres ?

1. Dans la savane, le jeune Africain n'entendait pas le bruit sourd du troupeau d'éléphants.

2. L'autruche ne regardait ni l'homme, ni la femme qui voulaient s'approcher.

3. Les rhinocéros ne se fatiguaient jamais d'être dans l'eau.

4. Le véhicule ne contournait pas toujours les trous de boue.

5. Les touristes n'appréciaient pas la chaleur accablante.

6. Le crocodile n'est pas un animal agréable.

7. On n'a jamais pris d'aussi belles photos que cette fois-là.

8. Le chant de cet oiseau ne ressemblait pas à un chant connu.

9. La route n'a jamais été praticable à cet endroit.

10. Les lions ne mangeaient pas toujours leur proie au même endroit.

Des mots cachés

Trouve dans la grille, de gauche à droite ou de bas en haut, chacun des mots qui te sont donnés. Transcris ensuite les sept lettres qui n'auront pas été utilisées et tente de reconstituer le mot caché.

Tu ne peux utiliser deux fois la même lettre.
Tu veux un truc ? Commence par trouver les mots les plus longs.

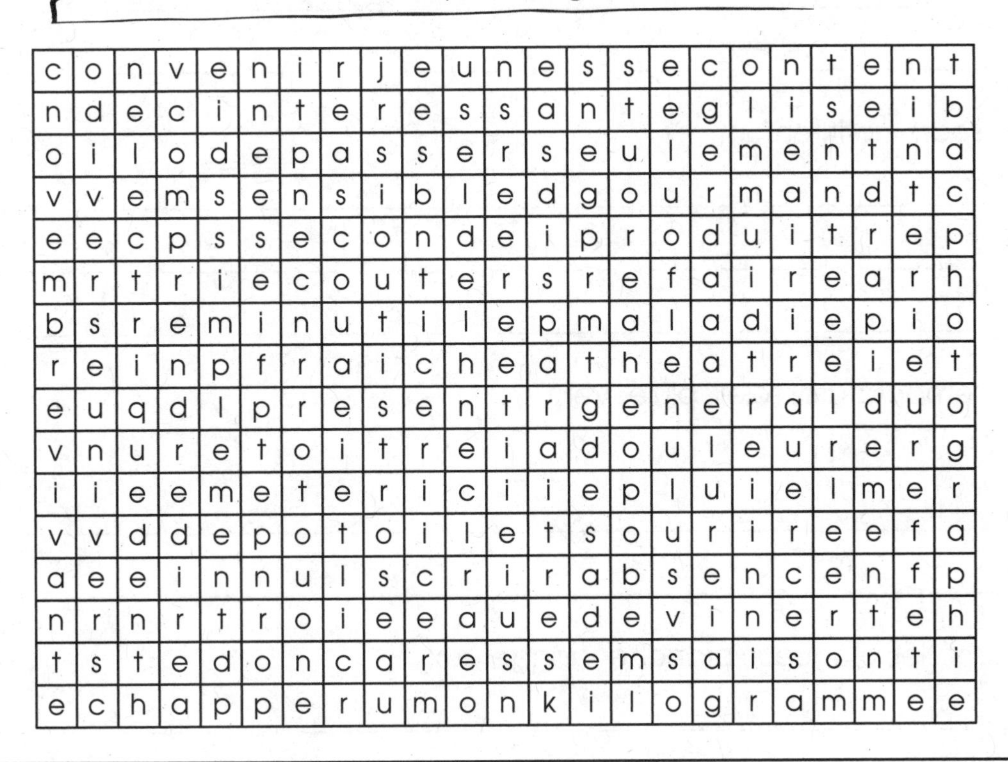

c	o	n	v	e	n	i	r	j	e	u	n	e	s	s	e	c	o	n	t	e	n	t
n	d	e	c	i	n	t	e	r	e	s	s	a	n	t	e	g	l	i	s	e	i	b
o	i	l	o	d	e	p	a	s	s	e	r	s	e	u	l	e	m	e	n	t	n	a
v	v	e	m	s	e	n	s	i	b	l	e	d	g	o	u	r	m	a	n	d	t	c
e	e	c	p	s	s	e	c	o	n	d	e	i	p	r	o	d	u	i	t	r	e	p
m	r	t	r	i	e	c	o	u	t	e	r	s	r	e	f	a	i	r	e	a	r	h
b	s	r	e	m	i	n	u	t	i	l	e	p	m	a	l	a	d	i	e	p	i	o
r	e	i	n	p	f	r	a	i	c	h	e	a	t	h	e	a	t	r	e	i	e	t
e	u	q	d	l	p	r	e	s	e	n	t	r	g	e	n	e	r	a	l	d	u	o
v	n	u	r	e	t	o	i	t	r	e	i	a	d	o	u	l	e	u	r	e	r	g
i	i	e	e	m	e	t	e	r	i	c	i	i	e	p	l	u	i	e	l	m	e	r
v	v	d	d	e	p	o	t	o	i	l	e	t	s	o	u	r	i	r	e	e	f	a
a	e	e	i	n	n	u	l	s	c	r	i	r	a	b	s	e	n	c	e	n	f	p
n	r	n	r	t	r	o	i	e	e	a	u	e	d	e	v	i	n	e	r	t	e	h
t	s	t	e	d	o	n	c	a	r	e	s	s	e	m	s	a	i	s	o	n	t	i
e	c	h	a	p	p	e	r	u	m	o	n	k	i	l	o	g	r	a	m	m	e	e

Mots

Absence
Bac
Caresse
Comprendre
Content
Convenir
Cri
Dent
Dépasser
Deviner
Disparaître
Dire
Diverse
Don
Douleur
Eau
Échapper
Écouter
Église
Effet
Électrique
Été
Fraîche
Général
Gourmand
Ici
Île
Intéressant
Intérieur
Inutile
Jeunesse
Kilogramme
Maladie
Mon
Novembre
Nul
Photographie
Pluie
Pot
Présent
Produit
Rapidement
Refaire
Roi
Rose
Saison
Seconde
Sensible
Seulement
Simplement
Sourire
Théâtre
Toit
Univers
Vivant

Mot caché : ___ ___ ___ ___ ___ ___ ___

Une imagination fertile

Compose trois phrases dans chacune desquelles tu utiliseras tous les mots de chaque série. Les phrases peuvent être affirmatives, négatives ou interrogatives.

1. Mots : pays, étranger, avion.

   a) ______________________________

   b) ______________________________

   c) ______________________________

2. Mots : sport, actif, enfant.

   a) ______________________________

   b) ______________________________

   c) ______________________________

3. Mots : température, soleil, pluie, vent.

   a) ______________________________

   b) ______________________________

   c) ______________________________

4. Mots : métier, élagueur, branche, dangereux.

   a) ______________________________

   b) ______________________________

   c) ______________________________

5. Mots : lunettes, yeux, grosses, noires, vertes.

   a) ______________________________

   b) ______________________________

   c) ______________________________

Où est l'intrus ?

Chaque série de mots comporte un intrus.
À toi de le trouver et de le biffer.

A
goulûment
avidement
stationnement
patiemment
gentiment

B
encre
mine
feutre
feuille
couleur

C
manteau
poil
cheveux
fourrure
pelage

D
statue
dépourvue
verrue
cohue
rue

E
aviateur
extincteur
instructeur
apiculteur
aviculteur

F
vestibule
entrée
hall
portique
sous-sol

G
hibou
caillou
fou
genou
pou

H
pneu
feu
essieu
vœu
dieu

I
avion
cerf-volant
parachute
taxi
deltaplane

J
couturier
communiquer
observer
grignoter
baigner

K
lunettes
bas
gants
yeux
foulard

L
cuir
plastique
bois
métal
poteau

Un genre à vérifier

Voici quelques noms dont le genre est difficile à retenir. Classe-les dans le tableau selon qu'ils sont masculins, féminins ou à double genre. Le dictionnaire te sera très utile.

Croque-info

Les noms qui peuvent être masculins et féminins sont dits des noms **à double genre.** Par exemple : un aigle et une aigle.

accident, agrumes, amour, ancre
apostrophe, armoire, ascenseur, autobus
cartouche, couple, épice, équinoxe
espace, hélice, insigne, mémoire
mode, moustiquaire, omoplate, orbite
pendule, tentacule, ulcère, voile

Noms féminins	Noms masculins	Noms à double genre

Des mots et encore des mots

Classe chacun des mots suivants dans la valise correspondante.

Afrique	Atlantique	bilan	boîtier	cadrage
circonstance	convaincre	du	espagnol	fourbu
frissonner	intérêt	Karim	Kenya	Madagascar
manette	mes	naître	nos	opaque
optique	paperasse	paisiblement	près	quantifier
quarante-sept	tunique	rebâtir	recouvrir	resplendissant
seize	tranquillement	travers	très	trop

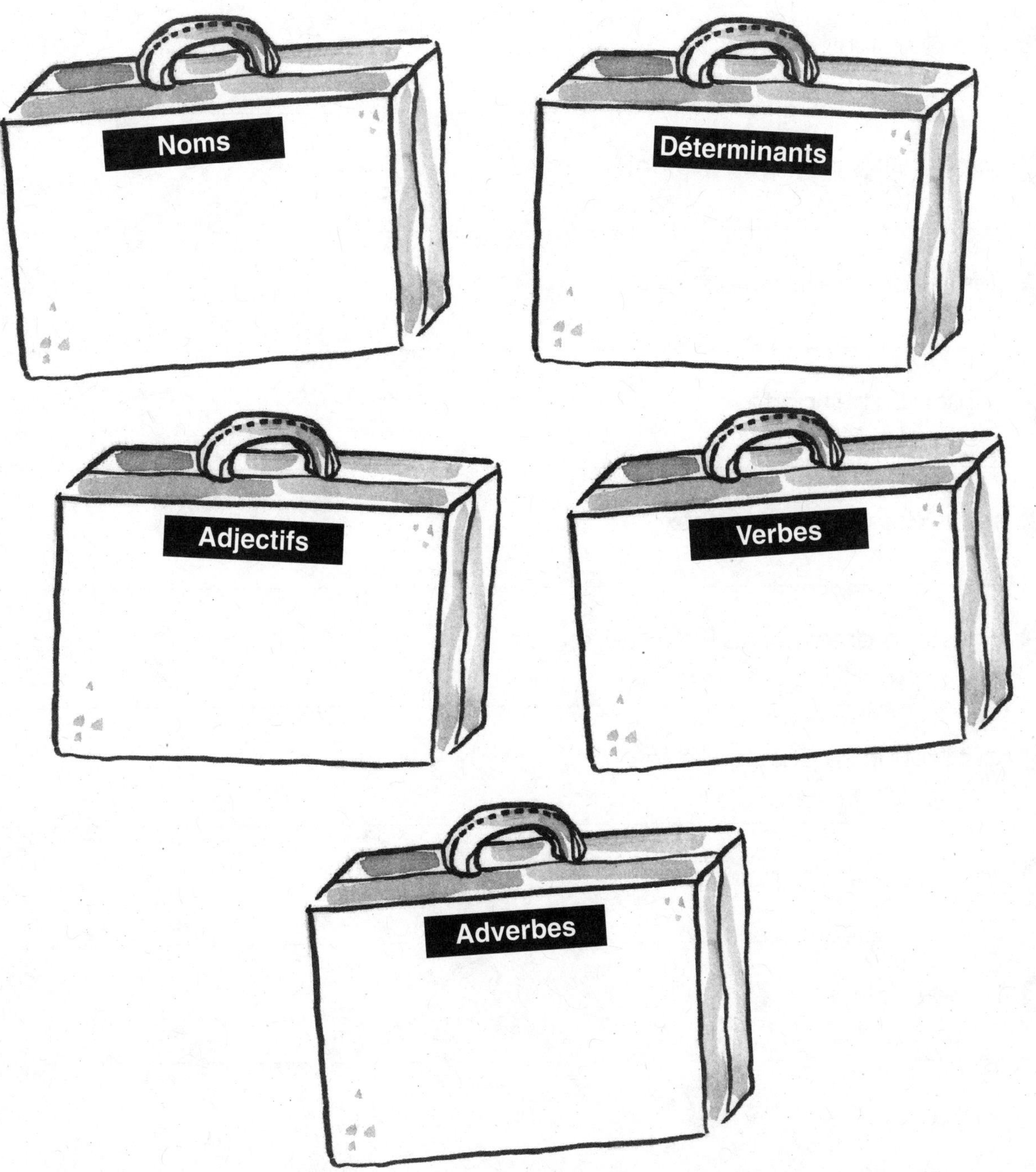

À chacun son proverbe !

Voici quelques proverbes. Replace les mots dans l'ordre afin de les décoder.

1. jamais. Mieux que tard vaut

2. chandelle. jeu la Le ne pas vaut

3. coutume. fois n'est pas Une

4. dîne dort. Qui

5. appétit en L' mangeant. vient

6. des Les ont oreilles. murs

7. conseil. La nuit porte

8. cœur. des du Loin loin yeux

9. mousse. n'amasse pas Pierre qui roule

10. faut Il jeunesse passe. que se

11. de est Il métier. n' point sot

12. fils. père Tel tel

Le jeu des différences !

Chacune des phrases propose deux paronymes.
À toi d'encercler celui qui est approprié au contexte de la phrase.

Croque-info

Les paronymes sont des mots dont l'orthographe ou la prononciation se ressemblent, mais qui n'ont pas la même signification.

1. Louis m'a fait une **proposition / préposition** que je ne pouvais refuser.
2. En jouant au ballon-panier, je me suis cassé l'**annuaire / annulaire.**
3. La **papille / pupille** de son œil droit est dilatée.
4. Mes parents m'encouragent à **assumer / assommer** mes responsabilités.
5. Julie Payette a voyagé dans la navette **spéciale / spatiale.**
6. La chaîne de la bicyclette est **enduite / induite** d'huile.
7. Combien d'élèves **dévisagent / envisagent** un déménagement ?
8. Les familles québécoises s'efforcent de **perpétuer / perpétrer** les traditions.
9. La morsure de ce serpent **vénéneux / venimeux** est mortelle.
10. Selon les **provisions / prévisions** météorologiques, il neigera abondamment.
11. Elles ont fait **éruption / irruption** dans la classe en criant.
12. Tu as entendu des **brides / bribes** de notre conversation.
13. Le prix du meilleur chanteur lui a été **discerné / décerné.**
14. Grand-mère a l'**intention / attention** de venir nous visiter demain.
15. Cet appartement est **infesté / infecté** de coquerelles.

J'ai des amis en Asie !

Un repas typique

En Asie, Gontran a rencontré un Thaïlandais, qui lui a expliqué en quoi consistait un repas thaïlandais. À toi maintenant de faire connaître la cuisine québécoise. Selon le modèle de l'exemple suivant, explique le menu d'un repas complet typique du Québec. Prête une attention particulière à l'accord des verbes et des adjectifs.

Menu thaïlandais

Un repas thaïlandais est toujours informel, même dans un grand restaurant. Un plat de riz cuit à la vapeur est posé au centre de la table. Les autres mets sont disposés tout autour. On mange sans ordre précis : le repas se compose d'un plat de viande, de poisson ou de volaille, d'une soupe et d'une salade épicée, le tout accompagné de sauce au poisson, de piments coupés ou d'autres condiments. Des fruits frais sont servis au dessert.

Menu québécois

Un méli-mélo de mots

Indique si les mots *le, la* et *les* sont employés comme pronoms personnels (PP) ou comme déterminants définis (DD) dans les phrases suivantes.

Croque-info

Lorsqu'ils sont utilisés comme pronoms personnels, les mots *le, la* et *les* remplacent un nom de personnes ou de choses déjà exprimé. Ils accompagnent toujours un verbe.

Lorsque les mots *le, la* et *les* sont utilisés comme déterminants définis, ils accompagnent toujours un nom.

a) C'est l'après-midi qu'elle est **le** (_____) plus en forme.

b) Ces livres, tu dois **les** (_____) remettre dans deux semaines.

c) **La** (_____) vie est si courte, pourquoi **la** (_____) gaspiller à se chicaner.

d) Elle **le** (_____) lui a répété plusieurs fois, elle n'avait qu'à vérifier dans **le** (_____) dictionnaire.

e) Ces problèmes, **les** (_____) élèves n'arrivent pas à **les** (_____) comprendre.

f) Tous **les** (_____) jours, elle **le** (_____) conduit à son travail.

g) Le (_____) continent de l'Asie est superbe. Il vous faut à tout prix **le** (_____) visiter.

h) **La** (_____) rizière est remplie de gens qui récoltent **les** (_____) grains de riz afin de **les** (_____) vendre.

L'accent approprié

Gontran a dressé une liste de mots, mais a oublié les accents. Transcris correctement ces mots à l'endroit approprié dans le tableau, selon l'orthographe de la lettre soulignée dans chaque mot.

regne	cote	fete	manege	cloture
batiment	crise	mystere	chomage	empecher
poteau	exposer	chaine	diner	cela
chateau	creme	macher	cortege	colere
connaitre	poele	foret	grise	champetre
facher	gateau	chapitre	levre	canot

a	â	è	ê

i	î	o	ô

Que la fête commence !

Découvre le sens de la fête des Thaïlandais en complétant les énoncés suivants. Pour chaque phrase, encadre le GS (groupe sujet) puis encercle le verbe qui est bien accordé.

Exemple : Depuis très longtemps, les Thaïlandais ont l'esprit de réjouissance et adorent les fêtes.
adore / adores / adorent

1. La cérémonie royale des Labours ________________ la saison du repiquage du riz.
ouvre / ouvres / ouvrent

2. La fête des Fusées ________________ à lancer des fusées dans le ciel pour faire venir la pluie.
consiste / consistes / consistent

3. La fête des Bougies ________________ le début du carême bouddhiste.
marque / marques / marquent

4. C'est à qui ________________ le cierge le plus gros.
sculptera / sculpteras / sculpterat

5. La fête des Lumières, la plus belle des fêtes thaïlandaises ________________ la venue de Bouddha sur Terre.
commémore / commémores / commémorent

6. Les petites bougies qu'on lance sur l'eau ________________ ainsi le chemin du Bienheureux.
éclairerait / éclairerais / éclaireraient

7. La fête de l'Eau, sans doute la principale festivité du pays, ________________ rites solennels et kermesses populaires.
associe / associes / associent

8. L'anniversaire du roi est célébré le 5 décembre. Ce jour est férié et les rues, décorées de guirlandes, ________________ spectacles et festivités variés.
accueille / accueilles / accueillent

9. Les célébrations bouddhistes, hautes en couleur, ________________ par toute la population.
sont appréciée / sont appréciés / sont appréciées

10. Les Thaïlandais se ________________ au son d'instruments musicaux pour chanter et danser.
réunisse / réunisses / réunissent

La vérité toute crue

Gontran se prononce sur certains mots. Indique si ce qu'il avance est *vrai* ou *faux* en cochant la case appropriée.

		Vrai	Faux
1	Le féminin du mot *innovateur* est *innovateuse*.	❑	❑
2	Le pluriel du mot *landau* est *landaus*.	❑	❑
3	Le verbe *hurler* au passé composé de l'indicatif, 3e personne du singulier, est *il hurlait*.	❑	❑
4	Le synonyme de *se lamenter* est *se plaindre*.	❑	❑
5	Le mot *baril* contient une lettre qu'on ne prononce pas.	❑	❑
6	L'antonyme de *transparent* est *opaque*.	❑	❑
7	Le mot *hypothèse* est masculin.	❑	❑
8	Les mots *doubler, doubleur, doublure* et *douceur* sont placés en ordre alphabétique.	❑	❑
9	Le mot souligné est bien orthographié : « Mon grand-père est <u>analphabète</u> car il ne sait ni lire ni écrire. »	❑	❑
10	Bangkok est une ville d'Asie.	❑	❑
11	Le tchador est un vêtement porté par les femmes japonaises.	❑	❑
12	Lorsque le moineau pousse son cri, on dit qu'il *ulule*.	❑	❑

En bref...

Voici une liste des abréviations qu'utilise fréquemment Gontran au fil de ses lectures. Les connais-tu ? Encercle la lettre qui correspond à leur définition.

1. Max. — a) Maxime b) maximiser c) maximum
2. Mme — a) mademoiselle b) madame c) même
3. N.B. — a) notre bible b) nota bene c) noir et blanc
4. tél. — a) télévision b) téléphone c) télégramme
5. Cie — a) compagnie b) cigarette c) cliquez ici
6. P.-S. — a) post-scriptum b) pour signaler c) poubelle sécurîtaire
7. sc. — a) scénario b) sous contrôle c) science
8. Dr — a) de retour b) docteur c) du règlement
9. ex. — a) exemple b) explications c) extérieur
10. min. — a) minuscule b) minimum c) mine
11. av. J.-C. — a) à Jean Charron b) avec Jésus-Christ c) avant Jésus-Christ
12. av. — a) avion b) avouer c) avenue
13. St — a) sous traitement b) Saint c) stéréo
14. etc. — a) en toute confiance b) en trois copies c) et cetera
15. S.V.P. — a) si vous patientez b) s'il vous plait c) sous votre pupitre

À toi l'honneur !

Gontran adore lire des bandes dessinées.
Pourquoi ne pas lui en offrir une que tu aurais faite toi-même ?
Choisis ton sujet, fais tes dessins et laisse parler tes personnages.

Titre : ____

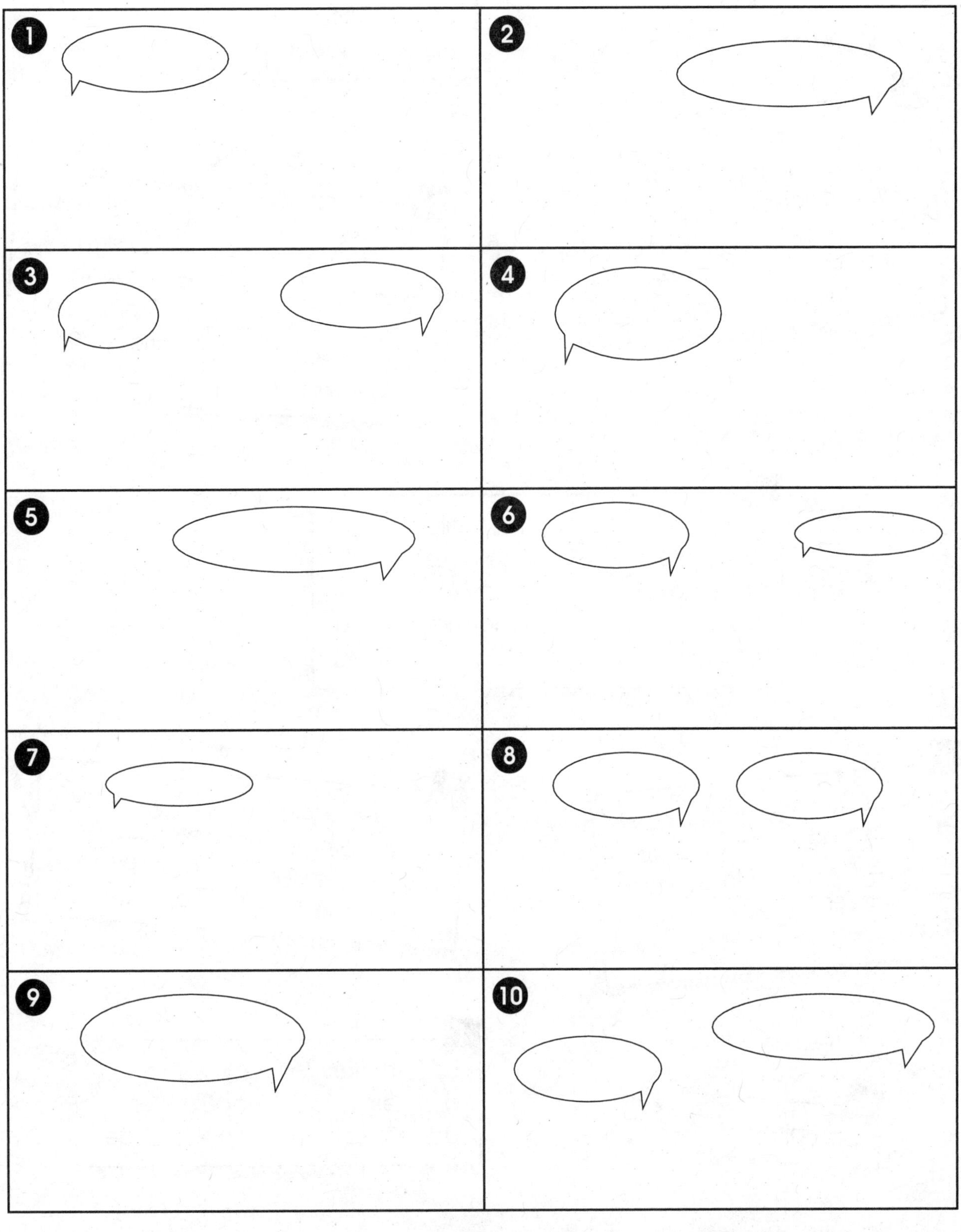

1	2
3	4
5	6
7	8
9	10

Simple ou double ?

Complète les mots suivants en ajoutant la ou les consonnes manquantes.

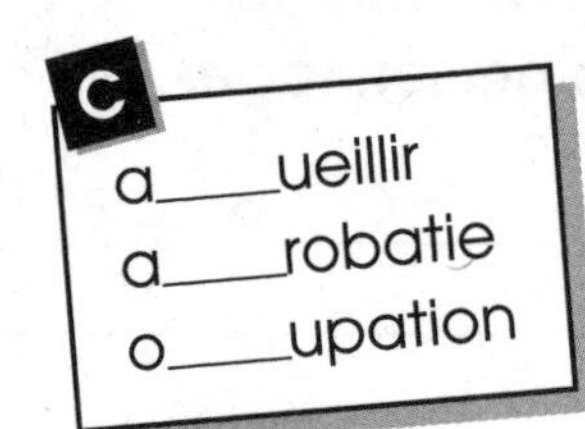

C

a____ueillir
a____robatie
o____upation

F

cara____e
e____icacité
pro____ondeur

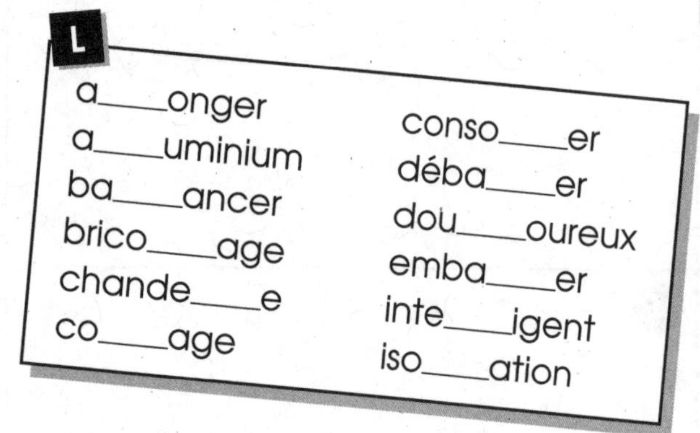

L

a____onger
a____uminium
ba____ancer
brico____age
chande____e
co____age
conso____er
déba____er
dou____oureux
emba____er
inte____igent
iso____ation

M

a____ener
a____oniac
bonho____e
co____édie
co____encer
co____érage
dé____énager
é____ission
e____ailloter
i____agination
patie____ent
ra____ener

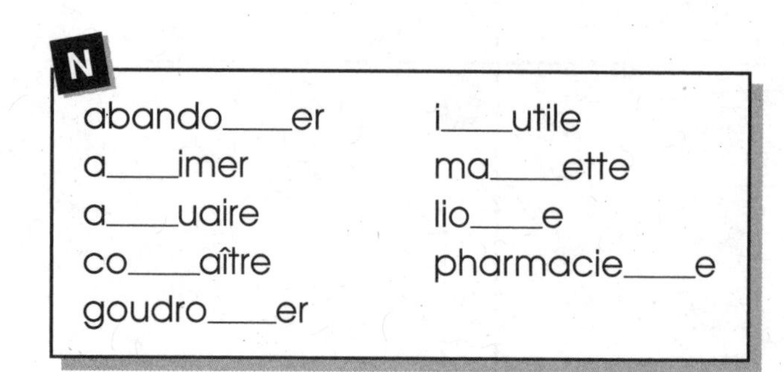

N

abando____er
a____imer
a____uaire
co____aître
goudro____er
i____utile
ma____ette
lio____e
pharmacie____e

R

ame____ir
a____achide
cou____ir
déco____er
gue____ier
mou____ir
nou____ir
te____asse
te____itoire

P

a____ercevoir
a____araître
a____rentissage
a____rofondir
cra____uleux
grou____e
o____ération
ra____eler

S

pamplemou____e

T

a____ention
a____errir
a____rister
ba____re
goû____er
habi____ude

Le charme asiatique

Voici des adjectifs reliés à l'Asie.
Place-les au bon endroit dans la grille.

- asiatique
- extravagant
- exotique
- japonais
- thaïlandais
- chinois
- vietnamien
- étranger
- tibétain
- légendaire
- lointain
- oriental
- bangladais
- cambodgien
- traditionnel
- impérial
- pékinois
- népalais
- typique

Une énigme à résoudre

Gontran a vécu un échange de cadeaux
au cours duquel chaque garçon a offert un cadeau à une fille de la classe.
Découvre quel cadeau a reçu chacune et qui l'a offert.

a offert à ↱	**CAMILLE**	**LAURIE**	**MYRIAM**	**JOHANNIE**	**FRANCE**
SÉBASTIEN Cadeau offert :					
JACOB Cadeau offert :					
BORIS Cadeau offert :					
CHARLES Cadeau offert :					
WILLIAM Cadeau offert :					

Des mots à decouvrir

As-tu déjà remarqué qu'en ouvrant un dictionnaire, on trouve au haut de la page gauche le premier mot qui figure dans cette page et au haut de la page droite, le dernier mot qui figure dans cette page. Par exemple :

Premier mot de cette page			Dernier mot de cette page

Imaginons que les mots suivants se trouvent au haut des pages d'un dictionnaire...

a) genette / gérant
b) geyser / givrage
c) givrant / globalisant
d) aromatiser / arrière-grands-parents
e) arrière-pays / article
f) articulaire / asphyxiant
g) asphyxie / assiégé
h) assiégeant / assouplissant
i) globalisation / goguenard
j) goguenardise / gourd

Indique, par la lettre correspondante, quelles pages tu dois consulter pour trouver les mots suivants :

1. goudronnage ➪ ________
2. géographie ➪ ________
3. arrogance ➪ ________
4. glacière ➪ ________
5. arranger ➪ ________
6. globe ➪ ________
7. assistance ➪ ________
8. asperge ➪ ________
9. gite ➪ ________
10. aspic ➪ ________

Qui prend pays prend nom

Remplis le tableau suivant en écrivant correctement les gentilés.

Croque-info

Un *gentilé* est le nom qu'on donne aux habitants d'un lieu. Les gentilés utilisés comme nom (pour désigner les habitants) s'écrivent avec une majuscule.

	Habitant	
Lieu (ville ou pays)	**(masculin)**	**(féminin)**
Ex. : Canada	Canadien	Canadienne
1. Montréal		
2. Cuba		
3. Allemagne		
4. France		
5. Québec		
6. Chine		
7. Mexique		
8. Belgique		
9. Roumanie		
10. Laval		
11. États-Unis		
12. Italie		
13. Japon		
14. Hollande		
15. Turquie		
16. Paris		
17. Tibet		
18. Maroc		
19. Jamaïque		
20. Toronto		

Un esprit créateur

Compose 10 phrases en utilisant un nom, un adjectif, un verbe et un adverbe dans chacune. Choisis ces mots parmi ceux de la liste suivante.

Noms	Adjectifs	Verbes	Adverbes
arc-en-ciel	charmant / charmante	abandonner	activement
biscuit	dangereux / dangereuse	capturer	doucement
échelle	étroit /étroite	compter	effectivement
élève	fier / fière	conduire	fâcheusement
enfant	frais / fraîche	convaincre	fermement
événement	givré / givrée	désirer	fréquemment
femme	heureux / heureuse	écrire	goulûment
fenêtre	inquiet / inquiète	emballer	joyeusement
fleur	jaloux / jalouse	espérer	justement
foyer	lourd / lourde	grignoter	légèrement
joueur	nerveux / nerveuse	grimper	lentement
lettre	préféré / préférée	imaginer	longuement
lunettes	rapide	lire	lourdement
monsieur	sincère	noter	personnellement
musique	sombre	observer	rapidement
outil	splendide	ouvrir	sérieusement
passage	sportif / sportive	peindre	tendrement
paysage	tendre	réaliser	violemment
tradition	timide	traverser	visiblement
vent	vif / vive	visiter	vraiment

1. ______________________________
2. ______________________________
3. ______________________________
4. ______________________________
5. ______________________________
6. ______________________________
7. ______________________________
8. ______________________________
9. ______________________________
10. ______________________________

Un voyage à l'autre bout du monde

L'oncle de Gontran est un homme qui a beaucoup voyagé un peu partout dans le monde. À chaque voyage, il prend soin d'écrire à son neveu. Voici une lettre qu'il lui a écrite pendant son voyage au Viêt-Nam. Lis-la puis réponds aux questions de la page suivante.

3 juillet 2004, Hô-Chi-Minh-Ville

Cher Gontran,

Le Viêt-Nam est fantastique. Il y a ici des paysages incroyables. La baie d'Along est d'une beauté indescriptible. Il s'agit sans doute de la huitième merveille du monde. Les plages de Ha Tien, dans le sud du pays, renferment des rochers calcaires en forme de monuments fabuleux, mais la plus belle est certainement la plage de « So Son », au sud de Haiphong. Elle est bordée de cocotiers et baignée par une eau transparente aux reflets d'émeraude.

On mange très bien ici. La gastronomie du pays est très variée. Du riz, une soupe tonkinoise (délicieuse), du poisson, du bœuf, du poulet, etc. Il y a beaucoup de légumes au menu, et c'est tant mieux !

On rencontre de nombreux Vietnamiens très hospitaliers. Le Viêt-Nam est un de ces rares pays où l'on se sent en confiance en dépit des malheurs passés de la guerre. On nous a accueillis avec charme et délicatesse.

Demain, nous allons visiter « la pagode de But Thap » (pagode de la Tour Pinceau). Il paraît qu'elle est entourée d'une dizaine de bâtiments datés pour la plupart des XVIIe et XVIIIe siècles et a la particularité de comporter un sanctuaire principal entouré d'une galerie de pierres sculptées. Cette pagode est l'une des plus célèbres du Viêt-Nam. J'ai très hâte !

Finalement, nous terminerons notre voyage par un spectacle de marionnettes sur l'eau. Oui, oui sur l'eau, sur le delta du fleuve Rouge, plus précisément. Les manipulateurs, plongés dans l'eau jusqu'à la ceinture, se cachent derrière des rideaux de paille de riz. Ils sont munis de perches de trois mètres de long au bout desquelles sont accrochées, grâce à de petites poulies, des marionnettes en bois. Superbe spectacle en perspective !

Je prévois revenir bientôt. Je te rapporterai un petit souvenir du Viêt-Nam.

À bientôt,
ton oncle Gustave

Un voyage à l'autre bout du monde *(suite)*

1. Quel pays l'oncle de Gontran visite-t-il ? ______
2. Quelle est, selon lui, la huitième merveille du monde ? ______
3. Quel terme utilise-t-il pour dire que les Vietnamiens sont très accueillants ?
______
4. Par quel événement terminera-t-il son voyage ? ______
______
5. Comment décrit-il la plage de « So Son » ? ______
______
6. Relève une phrase exclamative dans le texte.
______
7. Trouve dans le texte un synonyme des mots suivants :
   - inoubliable : ______
   - catastrophe : ______
   - bâtisse : ______
8. Trouve dans le texte des mots de même famille que :
   - refléter : ______
   - sculpteur : ______
   - monumental : ______
9. Relève dans le texte :
   - cinq verbes : ______
   - cinq adjectifs qualificatifs : ______
   - cinq noms communs : ______
   - deux adverbes : ______
10. Relève une énumération dans le texte. ______
______
11. Dans le texte, cinq mots sont soulignés. Vérifie le sens de ces mots dans un dictionnaire.
______

Le plaisir de lire

Gontran adore la lecture. Il passe parfois des heures à la bibliothèque de sa ville à lire des bouquins. Observe le résumé d'un livre que Gontran a lu, puis remplis à ton tour une fiche pour lui faire connaître un livre que tu as aimé.

Nom : Gontran

Livre choisi : *Cloé chez les Troglos*

Auteur du livre : Evelyne Wilwerth

Illustrateur ou illustratrice : Claire Gagnon

Nombre de pages : 114 pages

Résumé : Cloé part en voyage au pays où les hommes vivent dans des trous creusés dans la roche. À l'intérieur, ils cultivent des potagers, font pousser des champignons et vieillir du vin. Mais il est interdit de parler du Trou Beauté, un lieu dangereux enfoui sous terre. Cloé veut découvrir ce trou avec ses amis. Au fond d'une caverne, l'aventure les attend...

Nom : ____________________

Livre choisi : ____________________

Auteur du livre : ____________________

Illustrateur ou illustratrice : ____________________

Nombre de pages : ____________________

Un petit dessin représentant le sujet du livre

Résumé : ____________________

À vos crayons !

Peux-tu imaginer à quoi pourraient ressembler les moyens de transport en l'an 2500 ? Laisse aller ton imagination, puis dessines-en un et donne-lui un nom original. Puis, décris-le en quelques phrases.

Le nom de mon moyen de transport futuriste : ______________________________

____

____

____

____

Le temps présent

Conjugue les verbes suivants à l'indicatif présent et au subjonctif présent, à la personne demandée.

Infinitif	Indicatif présent	Subjonctif présent
a) avertir	j'	que j'
b) brosser	tu	que tu
c) cultiver	il	qu'il
d) débattre	nous	que nous
e) embellir	vous	que vous
f) frotter	ils	qu'ils
g) goûter	je	que je
h) haïr	tu	que tu
i) interrompre	elle	qu'elle
j) joindre	nous	que nous
k) klaxonner	vous	que vous
l) louer	elles	qu'elles
m) mettre	je	que je
n) naître	tu	que tu
o) offrir	il	qu'il
p) percer	nous	que nous
q) quitter	vous	que vous
r) refroidir	ils	qu'ils
s) savoir	je	que je

Un complexe simple

Croque-info

La phrase simple est une phrase qui contient un seul groupe verbal, c'est-à-dire un seul verbe conjugué. *Exemple* : Ce continent m'intrigue.
La phrase complexe est une phrase qui contient plusieurs groupes verbaux, c'est-à-dire plusieurs verbes conjugués. *Exemple* : Ce continent m'intrigue car je ne l'ai jamais visité.

1 Indique si les phrases suivantes sont simples (S) ou complexes (C).

a) Shangaï est une des plus grandes villes du monde. ______

b) Ils réussiront leur examen car ils ont bien étudié. ______

c) Un jour, j'irai visiter quelques pays de l'Asie. ______

d) Elle cria si fort que l'enfant éclata en sanglots. ______

e) Cet exercice compliqué est long à réaliser. ______

2 Transforme chacune des paires de phrases simples en une seule phrase complexe à l'aide du mot entre parenthèses.

Ex. : J'ai habité dans un grand hôtel. Il se trouvait au bord de la mer. (qui)

J'ai habité dans un grand hôtel qui se trouvait au bord de la mer.

a) Ils ont regardé un reportage. Le sujet de ce reportage était la Chine. (dont)

____

b) Nous prenions des photos. Vous consultiez la carte de la région. (pendant que)

____

c) Tu dois faire cuire le riz. Tu as acheté ce riz ce matin. (que)

____

d) Les souris dansent. Le chat n'est pas là. (quand)

____

L'Océanie... tout un continent !

Des kangourous dans les jambes

Gontran doit remettre ce devoir demain. Il devait s'imaginer guide touristique et rédiger un texte pour inciter les gens à visiter l'Océanie. Aide-le à corriger son texte en encerclant en rouge les 20 erreurs qu'il a oubliées. Écris la bonne réponse dans la marge.

L'Océanie : à découvrir absolument !

L'Océanie comprand la Micronésie, la Polynésie, la Mélanésie, la Nouvelle-Zélande et l'Australie. À part ces deux dernier pays, les iles du Pacifique sont pour la plupart minuscules en superficie. Un voyage dans sais eaux nous prouves que la grandeur du teritoire n'a rien à voir avec la richesse des cultures et la splendeure des paysages. L'Océanie regroupe des peuples aux coutummes encore méconnu, des gens qui parlent des langues variée et qui donnent l'impression de vivre à une autre époque. Toute personne qui raffole des plages chaudes sera comblé !

L'Australie est l'un des pays les plus apprécié par les touristes qui voyagent en Océanie. Plusieurs atractions touristiques sont proposées dans les nombreuses villes australliennes. Il ne faut surtout pas manqué Kangaroo Island (l'île aux Kangourous), où l'on peut observer une faune abondente : des coalas, des kangourous et des émeux (de grands oiseaux que l'on ne trouve qu'en Australie).

L'Océanie vous fascine ? Pourtant, il ne s'agit là que de quelques-unes des particularités de ce superbe continant. Je pourrait vous en parler encore des heures, mais il faut vous y randre pour observer par vous-mêmes toutes les splendeurs de l'Océanie.

Des expressions imagées

Trouve les expressions suivantes dans le dictionnaire.
Indique le mot clé de l'expression sous lequel tu as trouvé la définition.

> **Croque-info**
>
> Pour trouver une expression dans le dictionnaire, tu dois repérer le mot clé de cette expression et ensuite chercher ce mot.
> *Exemple*: L'expression « Tourner sa langue sept fois avant de parler. », se trouve sous le mot langue dans le dictionnaire.

Expressions	Mots clés
Se mettre les pieds dans les plats.	pied
Avoir un chat dans la gorge.	
Une histoire à dormir debout.	
Demander la lune.	
Avoir la langue bien pendue.	
Tirer le diable par la queue.	
Être dans la lune.	
Être tiré à quatre épingles.	
Dormir sur ses deux oreilles.	
Être tombé sur la tête.	
Prendre le taureau par les cornes.	
Sans queue ni tête.	
En avoir plein le dos.	

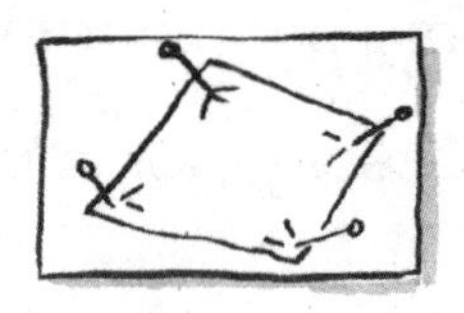

Des participes au passé

Note le participe passé de chacun des verbes ci-dessous dans la colonne appropriée selon leur terminaison au masculin singulier.

apercevoir	asseoir	attendre	avertir	comprendre
concevoir	construire	convaincre	cuire	découvrir
défendre	déprendre	descendre	détruire	distraire
endormir	entendre	faire	fendre	finir
frire	mettre	offrir	polir	poursuivre
prendre	promettre	remplir	reprendre	réussir
revoir	rire	satisfaire	souffrir	sourire
soustraire	suivre	surprendre	traire	voir

-ait	-ert	-i	-is	-it	-u
______	______	______	______	______	______
______	______	______	______	______	______
______	______	______	______	______	______
______		______	______	______	______
______		______	______		______
		______	______		______
		______	______		______
		______	______		______
		______			______
		______			______

Un continent qui a de la classe

Dis à quelle classe de mots appartient chacun des mots soulignés dans les phrases suivantes.

> **Croque-info**
>
> Les classes de mots comprennent, entre autres, les déterminants, les noms, les pronoms, les adjectifs, les verbes et les adverbes.

1 En Nouvelle-Zélande, <u>on</u> compte plus de <u>moutons</u> que d'<u>habitants</u>.

a) on : ______________________________

b) moutons : ______________________________

c) habitants : ______________________________

2 On <u>fabrique</u> de <u>chauds</u> <u>vêtements</u> avec <u>leur</u> <u>laine</u>.

a) fabrique : ______________________________

b) chauds : ______________________________

c) vêtements : ______________________________

d) leur : ______________________________

e) laine : ______________________________

3 Les <u>objets</u> faits de <u>corail</u> <u>sont soumis</u> à des lois <u>très</u> <u>strictes</u>. Les <u>magasins</u> autorisés <u>peuvent</u> en <u>vendre</u>.

a) objets : ______________________________

b) corail : ______________________________

c) sont soumis : ______________________________

d) très : ______________________________

e) strictes : ______________________________

f) magasins : ______________________________

g) vendre : ______________________________

Des mots aux mille visages

As-tu déjà remarqué que certains mots ont plusieurs sens ? Observe l'exemple suivant, puis à ton tour, rédige des phrases en utilisant les mots selon les définitions proposées.

Exemple : **Cœur** : a) organe vital ; b) centre.

a) Trop de gens souffrent de maladies du cœur.

b) Au cœur de la pomme se trouvent des pépins.

1. **air** : a) celui qu'on respire ; b) expression du visage.

   a) ____________________

   b) ____________________

2. **bec** : a) bouche des oiseaux ; b) extrémité d'un objet.

   a) ____________________

   b) ____________________

3. **baie** : a) petit golfe; b) petit fruit.

   a) ____________________

   b) ____________________

4. **élan** : a) mouvement vers l'avant ; b) cerf des pays du Nord.

   a) ____________________

   b) ____________________

5. **glace** : a) eau congelée ; b) crème glacée.

   a) ____________________

   b) ____________________

6. **kiwi** : a) fruit ; b) oiseau.

   a) ____________________

   b) ____________________

Des accords à faire

Dans chaque phrase, souligne le participe passé et trace une flèche pour le relier au mot avec lequel il s'accorde.

Exemple : Ce magasin était fermé depuis trois jours.

1. Cette fenêtre s'est cassée à cause du violent orage d'hier.
2. La robe de ma mère est tachée sur la manche.
3. Les animaux de ce zoo sont bien traités.
4. Mon frère, l'aîné de la famille, a mangé trois petits gâteaux.
5. La tablette de ma bibliothèque s'est effondrée sous le poids des livres.
6. Des tulipes multicolores sont disposées autour de cette demeure.
7. La semaine dernière, mon chien s'est blessé avec son collier.
8. Son texte me semble bien présenté.
9. Le facteur a toujours livré le courrier le matin.
10. Le poil de ce chien est rasé très court.

Un continent aux nombreuses qualités

Écris deux adjectifs qualificatifs qui pourraient accompagner chacun des noms suivants. N'oublie pas de les accorder.

du sable	fin	doré
un pays		
un voyage		
un avion		
des kangourous		
une fleur		
un aéroport		
des plages		
une langue		
une mer		
un coquillage		
des palmiers		
une végétation		
une valise		
un soleil		
des parasols		
un oiseau		
un paysage		
une île		
des kiwis		

Un mot secret

La grille ci-dessous contient 25 mots sur le thème du « mystère » et un mot caché. Écris au bas de la page les huit lettres qui n'ont pas été utilisées. Tu découvriras ainsi le mot caché.

e	n	i	g	m	a	t	i	q	u	e	s	s
m	r	n	e	e	t	i	s	o	i	r	u	c
p	e	d	l	d	e	r	u	c	s	b	o	a
r	s	i	s	e	m	e	l	b	o	r	p	c
e	o	c	q	v	e	r	e	t	s	y	m	h
i	u	e	u	i	e	e	t	r	a	i	d	e
n	d	c	e	n	t	n	i	e	p	m	c	t
t	r	a	s	e	e	i	r	l	e	a	r	t
e	e	c	t	t	u	g	p	e	u	i	v	e
s	j	h	i	t	q	m	s	p	r	n	i	f
e	e	e	o	e	n	e	e	t	u	o	f	i
e	u	r	n	s	e	s	s	i	g	n	e	p

Mot caché : ______________________

C'est... plus que parfait !

Choisis un verbe par colonne et conjugue-les au plus-que-parfait. Sous les conjugaisons, illustre ces actions.

Partir en voyage	**Visiter** un village	**Prendre** des vacances
Dormir paisiblement	**Inspecter** les lieux	**Finir** un bon repas
Faire une randonnée	**Aimer** les excursions	**Vouloir** des souvenirs

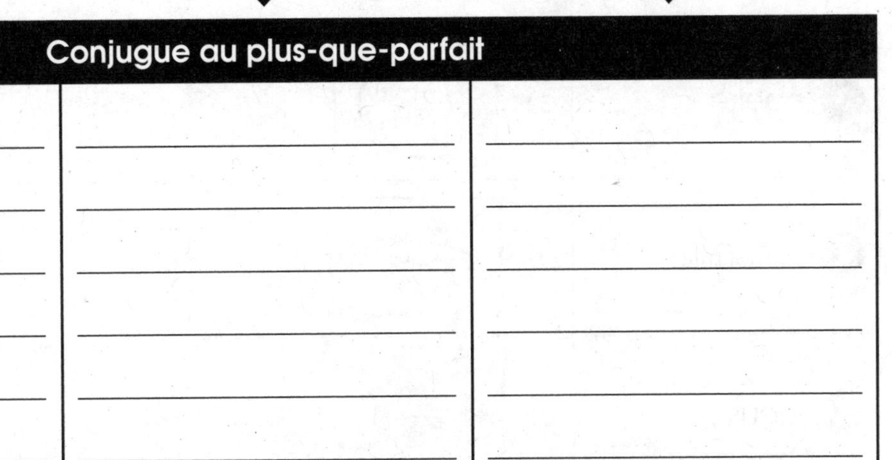

Conjugue au plus-que-parfait		

Illustre		

Une image vaut mille mots

À l'aide de la lettre correspondante, indique à quelle illustration correspond chaque mot. Écris une courte définition pour chaque mot en t'aidant du dictionnaire.

Mot	Illustration
1 cagou	a) 
2 babiroussa	b) 
3 épeire	c) 
4 potentille	d) 
5 fucus	e) 
6 psalliote	f) 
7 vive	g) 
8 percheron	h) 
9 tétras-lyre	i) 
10 courtilière	j) 

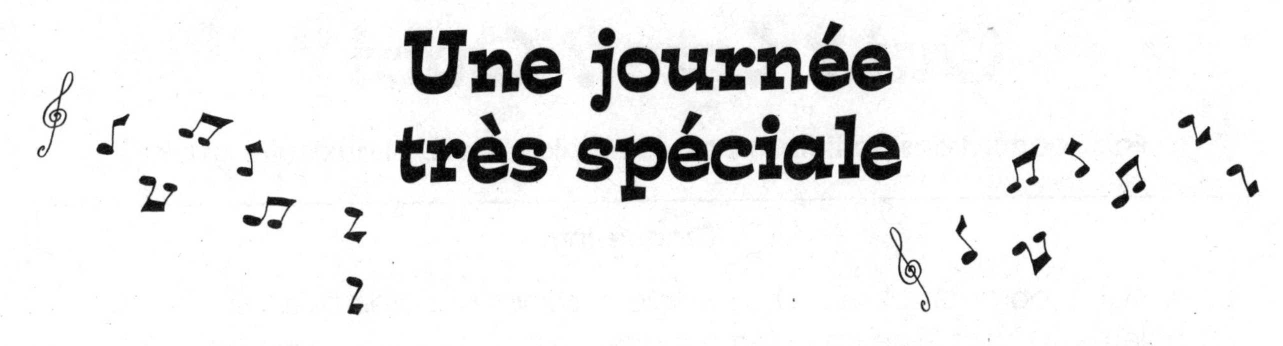

Une journée très spéciale

Lis le texte suivant et écris chaque mot souligné dans la colonne appropriée.

Gontran ne tient plus en place aujourd'hui. Pourquoi ? Après le souper, quand ses devoirs seront terminés, son père l'amènera voir le spectacle du siècle. Le groupe les Crazy Rockers. C'est un groupe australien, qui ne s'arrête pas souvent dans le coin, et qui vaut absolument le détour. Gontran les adore, surtout Craig, le chanteur soliste. Il a une voix rauque et très grave. Le batteur est un musicien qui connaît son métier. Il donne beaucoup de rythme au groupe. Finalement, c'est un groupe génial, car leurs chansons sont originales et traitent de sujets honorables comme la paix, l'amour et l'amitié. C'est vraiment le groupe de musiciens préféré de Gontran .

Nom commun	Nom propre	Adjectif qualificatif	Verbe	Adverbe	Déterminant

Qui ? Que ? Quoi ?

Fais l'accord des participes passés employés avec l'auxiliaire *avoir*.

Croque-info

Le participe passé employé avec l'auxiliaire *avoir* s'accorde avec le complément direct **SI** ce complément direct est placé avant le verbe.
Exemple : Les fleurs que tu as cueilli**es** sentent bon. (*Tu as cueilli* quoi ? Les fleurs (COD placé avant le verbe). Tu as cueill**i** des fleurs qui sentent bon. (*Tu as cueilli* quoi ? Des fleurs (COD placé après le verbe).

1. La fille qui a trouvé________ ce chapeau est ma cousine.
2. Les animaux que tu as dessiné________ m'impressionnent.
3. Les champignons que nous avons ramassé________ dans le bois sont comestibles.
4. La neige que nous avons observé________ tombe avec douceur.
5. L'horloge que mon grand-père m'a donné________ est brisée.
6. Les hommes qui ont travaillé________ dans ce chantier sont gentils.
7. La tarte que tu m'as servi________ paraît délicieuse.
8. Les oiseaux que j'ai accueilli________ chez moi sont guéris.
9. Les lumières que vous avez acheté________ éclairent énormément.
10. Les pantoufles que tu as reçu________ en cadeau sont chaudes et douillettes.
11. La cassette qu'il a visionné________ ne lui plaisait pas.
12. La carte d'anniversaire que ce garçon a reçu________ est très drôle.
13. Les émissions que j'ai regardé________ étaient intéressantes.
14. L'épée que ce chevalier a tenu________ dans sa main semblait très lourde.
15. Les crayons que vous avez cassé________ devront être remplacés.

Du singulier au pluriel

Écris chaque mot au pluriel. Attention aux exceptions !

Le corrigé

Page 10 – Voyager à travers les mots
1. départ ; 2. remercier ; 3. compte ; 4. heure, heur ; 5. électrique ; 6. verre ; 7. repos ; 8. front ; 9. personne ; 10. à l'envers ; 11. ceux ; 12. intelligent ; 13. nécessaire ; 14. brillante ; 15. étendre ; 16. journaux.

Page 11 – Course autour du monde
Exemples de question : 1. Quel est le moyen de transport le plus utilisé en Chine ? 2. Dans quel pays trouve-t-on des cabanes à sucre ? 3. Où ont eu lieu les premiers Jeux olympiques ? 4. Quelle est la monnaie du Japon ? 5. Quel est l'un des musées les plus connus à Paris ? 6. De quel continent fait partie la Belgique ? 7. Quel animal symbolise l'Australie ? 8. Quelle est l'origine du souvlaki ? 9. Quel est le pays le plus peuplé ? 10. Où cultive-t-on le plus de café ?

Page 12 – Mon dico en voyage
a) 6 et 10 g) 1 et 16 d) 7 et 14
f) 3 et 17 c) 8 et 18 i) 2 et 15
b) 5 et 12 h) 4 et 13 e) 9 et 11

Page 13 – Un billet pour le paradis

Mot du texte	Classe du mot	Antonyme
1. précédent	adjectif	suivant
2. plus	adverbe	moins
3. intéressant	adjectif	inintéressant
4. peu	adverbe	beaucoup
5. adoré	verbe	détesté
6. toujours	adverbe	jamais
7. énormes	adjectif	minuscules
8. doucement	adverbe	rudement
9. différentes	adjectif	pareilles
10. maladroitement	adverbe	adroitement

Page 14 – Savoir reconnaître ses torts
Aurais, attendre, aimé, aurions, sais, avais, adoré, puisses, organise, aurais, pouvais, oublie, espère, veux, regrette.

Page 15 – Un climat diversifié
1. chaud : chaudement ; chaleur ; chauffage ; chauffer ; réchauffer.
2. frais : fraîche ; fraîchement ; fraîcheur ; rafraîchir ; rafraîchissement ; rafraîchissant.
3. climat : climatisation ; climatique ; climatiseur ; climatiser ; climatologie.
4. pluvial : pluie ; pluvieux ; pleuvoir ; pluviomètre ; pleuviner.
5. froidement : froideur ; froid ; froidure ; refroidir.
6. brûler : brûlure ; brûleur ; brûlerie ; brûloir ; brûlé.
7. gel : geler ; gelée ; gélifier ; gelure ; gélif.
8. sécheresse : sec, sèche ; sécher ; séchoir ; assécher ; sécheuse ; séchage ; sécherie ; sèchement.
9. tiède : tiédeur ; tièdement ; tiédir ; tiédissement.
10. venteux : vent ; venter ; ventiler ; ventilateur ; ventilation.
11. brumeux : brume ; brumer ; brumisateur.
12. avion : aviateur ; aviation ; aviatrice ; avionique ; avionneur.

Page 18 – Le monde à l'envers

Les crocodiles

Les crocodiles **sont** des grands **reptiles** à fortes mâchoires, qui **vivent** dans les **fleuves** et les lacs des régions chaudes. **Lorsque** le crocodile pousse son cri, il **vagit.** Il existe plusieurs sortes de crocodiles : le crocodile du **Nil,** le gavial, le caïman à **lunettes** et l'alligator. Un crocodile peut mesurer jusqu'à sept mètres de **long.** Son énorme **gueule** contient plus de 65 dents, grandes, dures et **pointues.** Les petits crocodiles se nourrissent **surtout** d'insectes ; les **grands** préfèrent les poissons, mais ils mangent **aussi** des oiseaux et d'autres **animaux.** Ah oui ! La peau du **ventre** du crocodile est **utilisée** pour fabriquer des sacs et des chaussures.
Quelle vie de croco !

Page 19

	Infinitif	Mode	Temps
1. est	être	indicatif	présent
2. appréciant	apprécier	participe	présent
3. regorge	regorge	indicatif	présent
4. dure	durer	indicatif	présent
5. découvre	découvrir	indicatif	présent
6. payé	payer	participe	passé
7. achetés	acheter	participe	passé
8. ayez visité	visiter	subjonctif	présent
9. goûtiez	goûter	subjonctif	présent
10. partager	partager	infinitif	présent

Page 20 – Des attraits touristiques intéressants
1. a) ; 2. b) ; 3. b) ; 4. a).

Page 21 – Des charades pour passer le temps
1. mille, lit, arts : milliard ;
2. tour, nage : tournage ;
3. nu, clé, air : nucléaire ;
4. boue, lent, g : boulanger.

Page 22 – Musée des verbes
Horizontalement : 2. pourrais ; 4. écrirais ; 5. croirait ; 10. salueraient ; 11. briserais ; 12. sauriez ; 13. rendrait ; 15. devrait ; 16. conduirait ; 18. trotteraient ; 19. jaserais ; 20. admirerions ; 21. comprendrions ; 22. prédiriez ; 23. exposerais ; 24. débrancheriez.
Verticalement : 1. communiqueriez ; 3. descendrais ; 6. peindrais ; 7. poursuivrions ; 8. fuirait ; 9. respirerais ; 10. suivraient ; 14. écouteriez ; 17. proposeriez.

Page 23 – Tout un casse-tête !
a) Lavallois, gaspésien ; b) thaïladaise, Mexicain ;
c) Canadien, africaine, Africains ; d) espagnols, italiens ;
e) Français, québécois ; f) Albertains, Albertaines ;
g) Anglais ; h) Indienne, canadienne ; i) Italiens ;
j) polonaise, Québécois.

Page 24 – Un immense globe terrestre
1. a) verre, vers, ver ; b) paire, pers, pair ; c) laid, les, laie ; d) sot, seau, saut ; e) cent, sans ; f) maître ; g) vin, vint, vain ; h) coup, coût ; i) tente, tentent, tentes ; j) mer, maire.
2. a) crayon ; b) musique ; c) papier ; d) arts ; e) table ; f) pluies ; g) album ; h) gomme.

Page 26 – L'harmonie sur Terre
1. beaucoup, partout, jamais, toujours, Comment, tous ; 2. Demain ; 3. environ ; 4. Quand ; 5. partout, derrière ; 6. plus ; 7. Aujourd'hui ; 8. très, vite, rapidement ; 9. tout ; 10. autour ; 11. prudemment ; 12. parfois ; 13. jamais ; 14. contre ; 15. Combien.

Page 27 – À chaque mot son origine
a) champignons : amanite, bolet, morille ;
b) pierres : agate, silex, zircon ;
c) fleurs : aubébine, chardon, immortelle ;
d) maladies : sclérose, eczéma, arthrite ;
e) poissons : mérou, baudroie, lotte ;
f) nuages : cirrus, cumulus, stratus ;
g) muscles : deltoïde, pectoral, masséter ;
h) fruits : kaki, litchi, goyave.

Page 28 – Un pronom parmi tant d'autres
Gontran ; Gontran et ses camarades ; la côte ; Gontran et ses camarades ; la luge ; Gontran et ses camarades, la luge ; Gontran ; les jeunes ; tous.

Page 29 – Des questions à poser
1. Courir le matin donne-t-il de l'énergie pour le reste de la journée ?
2. Une bonne alimentation contribue-t-elle au développement des habiletés physiques ?
3. Jean-Luc Brassard a-t-il remporté plusieurs médailles au cours de sa jeune carrière ?
4. Les athlètes s'entraînent-ils tous les jours pour obtenir de bons résultats ?
5. Aux Jeux olympiques, Myriam Bédard participe-t-elle aux compétitions de biathlon ?
6. Le ski acrobatique est-il une des disciplines les plus dangereuses ?
7. L'athlète qui fait du patinage de vitesse doit-il posséder un bon équilibre ?
8. Les Jeux olympiques d'hiver ont-ils lieu tous les quatre ans ?
9. Dans la descente, la luge peut-elle atteindre des vitesses vertigineuses ?

Page 30 – Un monde compliqué
1. excédent ; 2. apogée ; 3. géranium ; 4. examen ; 5. hérisson ; 6. fabrique ; 7. façon ; 8. fémur ; 9. murmurer ; 10. paradis ; 11. panique ; 12. manifester ; 13. karaté ; 14. matériaux ; 15. frontière ; 16. tabouret.

Page 32 – Un continent qui vaut le détour
1. Les énormes troncs d'arbres cachaient complètement les façades des maisons.
2. Nous avons contemplé longuement les immenses chutes très impressionnantes.
3. Dans les vastes prairies, les hommes cultivent les céréales.
4. Les poissons sont des mets renommés dans ces pays.
5. Les tournages des films hollywoodiens se font sous les grands ponts suspendus.
6. Les pommes sont des fruits réputés dans ces provinces.
7. Les skis glissent sur les pentes douces pendant que nous admirons le ciel.
8. Les cabanes à sucre sont situées sur des érablières.
9. Des orignaux trottent sur les bords des autoroutes bruyantes.

Page 33 – À chacun sa recette
6 – 4 – 8 – 1 – 5 – 7 – 3 – 2

Page 34 – L'Amérique en folie !
1. F ; 2. P ; 3. F ; 4. P ; 5. F ; 6. P ; 7. F ; 8. P ; 9. F ; 10. P ; 11. P ; 12. F ; 13. P ; 14. F ; 15. F ; 16. P ; 17. F ; 18. P ; 19. F ; 20. P.

Page 35 – Le cinéma américain
1. Dans le film Titanic, il y avait plus de 400 effets spéciaux. Il y avait, dans le film Titanic, plus de 400 effets spéciaux.
2. À l'occasion d'un gala, les vedettes portent des vêtements très élégants. Les vedettes, à l'occasion d'un gala, portent des vêtements très élégants.
3. Sur le plateau de tournage, il y a beaucoup d'action. Il y a, sur le plateau de tournage, beaucoup d'action.
4. Aux représentations cinématographiques, une foule de gens assiste. Une foule de gens, aux représentations cinématographiques, assiste.
5. Depuis 1945, le cinéma européen produit de nombreux films d'auteur à petits budgets. Le cinéma européen, depuis 1945, produit de nombreux films d'auteur à petits budgets.

Page 37 – Amérique du Sud en vue !
1. Argentine ; 2. Caracas ; 3. Bogota ; 4. Pérou ; 5. Rio de Janeiro ; 6. Venezuela ; 7. Équateur ; 8. Colombie ; 9. Lima ; 10. Brésil.

Page 38 – Une escalade dans les Rocheuses
a) Quel ; b) Quel ; c) Quelle ; d) Quel ; e) Quels ; f) quelles ; g) Quel ; h) Quelle ; i) Quelle ; j) Quelle.

Page 39 – À chacun sa bulle !
1. k ; 2. d ; 3. e ; 4. l ; 5. h ; 6. j ; 7. i ; 8. b ; 9. f ; 10. a ; 11. c ; 12. g.

Page 40 – Le féminin l'emporte
Génial ! Tu excelles autant que ce cher Gontran !

Page 41 – Des touristes à la tonne
1. Biodôme ; 2. Festival Juste pour rire ; 3. Jardin botanique ; 4. Stade olympique ; 5. Vieux-Port ; 6. Fêtes gourmandes ; 7. Tour de l'île ; 8. Oratoire Saint-Joseph ; 9. Festival de jazz ; 10. Planétarium.

Page 42 – Les mots de l'Amérique
a) dérangeant ; b) bestioles ; c) noix d'acajou ; d) commercial ; e) ventilateur ; f) crevaison ; g) partie ; h) blague ; i) lancé ; j) ruban adhésif ; k) baladeur ; l) rondelle ; m) poster ; n) vadrouille ; o) amie.

Page 44 – À chacun sa province !
1. Montréal, Gaspésie, Trois-Rivières, Rimouski, Québec, Blainville, Mont-Tremblant ; Mauricie, Laval, Roberval, Terre-Neuve.
2. Rawdon, Lanaudière, Terrebonne, Laurentides, Île d'Orléans, Châteauguay, Île-aux-Coudres ; Alberta.
3. Jonquière, Saint-Sauveur, Sherbrooke, Granby, Sorel, Saint-Hyacinthe, Québec.
4. Saint-Jérôme, Gatineau, Outaouais, Saint-Donat, Rigaud, Repentigny, Longueuil, Ontario.
5. Magog, Mirabel, Mont-Laurier, Joliette, Montebello, Boucherville, Abitibi, Val-d'Or, Manitoba.
6. Brossard, Amos, Sainte-Agathe, Kamouraska, Grand-Remous, Lachute, Saint-Constant, Stoneham, Labelle, Shawinigan, Rouyn-Noranda, Sainte-Anne-des-Plaines, Saskatchewan.
7. Varennes, Saint-Jovite, Chicoutimi, Valleyfield, Verchères, Lac-Saint-Jean, LaSalle, Sept-Îles, Asbestos, Lachine, Pierrefonds, Sainte-Adèle, Saint-Hubert, Vaudreuil, Nouvelle-Écosse.

Page 45 – Continent légendaire
a) héroïne ; b) légendes ; c) tronc ; d) recueillir ; e) prêt ; f) produisent ; g) aussi ; h) ils ; i) faire ; j) exquis ; k) fendre ; l) surveiller ; m) Nokomis ; n) rempli ; a) Le ; p) se ; q) procurer.

Page 46 – La Gaspésie : une région pleine de vie !
a) gastronomie ; b) renommé ; c) initiative ; d) raisons ; e) touristes ; f) également ; g) dévouement ; h) panorama ; i) relève ; j) atours.

Page 48 – On part ou on ne part pas ?
Exemples de réponses :
a) Cet homme ne prend pas beaucoup de risques en allant se promener.
b) Personne n'aime prendre l'avion pour voyager.
c) Le journaliste n'est pas bien renseigné sur ce pays.
d) Mon père a de la mémoire, il n'oublie jamais rien.
e) Cette fillette ne veut plus retourner visiter *Wall Disney World*.
f) Non ! Je n'ai pas terminé de faire ma valise.
g) Ce n'est jamais l'endroit parfait pour se reposer.
h) Ils n'ont jamais savouré de plat de pâtes épicé dans le quartier italien.
i) Il n'y a pas beaucoup de saumons dans les rivières.

Page 50 – Un peu de soleil dans la vie !
1. a) peut ; b) peut ; c) peut ; d) Peu ; e) peux ; f) peut ; g) peux, peu.
2. je peux ; tu peux ; il, elle, on peut.

Page 51 – Des indices utiles
1. banal, banals ; 2. hôpital, hôpitaux ; 3. sarrau, sarraus ; 4. musical, musicaux ; 5. royal, royaux ; 6. national, nationaux ;

7. estival, estivaux; 8. récital, récitals; 9. oral, oraux;
10. fatal, fatals; 11. vital, vitaux; 12. loyal, loyaux;
13. pou, poux; 14. médical, médicaux; 15. landau, landaus.

Page 52 – Des verbes peu familiers
1. scrutèrent; 2. voyagea; 3. marche; 4. surprirent; 5. logea; 6. disparurent; 7. contempla; 8. déboursa; 9. convainc; 10. demanda; 11. fuit; 12. dirent; 13. patienta; 14. transmit; 15. collectionna; 16. correspondirent.

Page 55 – Des chiffres universels
1. l; 2. a; 3. g; 4. h; 5. n; 6. e; 7. c; 8. i; 9. k; 10. b; 11. j; 12. m; 13. a; 14. f; 15. d.

Page 57 – À ne pas manquer en France
1. e); 2. f); 3. d); 4. a); 5. b); 6. c).

Page 60 – Une escapade en Italie

Viva l'Italia

L'Italie est sans conteste un pays de charme dont **on** tombe amoureux dès la première visite. **On** ne peut faire autrement qu'apprécier l'extraordinaire variété des climats et des paysages qui **ont** tant de choses à nous montrer. Les Italiens **ont** un don pour la beauté, les arts et la gastronomie... bien sûr!

En Italie, **on** peut faire de nombreuses acquisitions: le cuir de Florence, la verrerie et la broderie de Venise, la faïence de Toscane et bien d'autres. On l'adore ce pays!

Les touristes **ont** tôt fait d'apprécier les pâtes et les glaces, qui sont réputées au monde. Les Italiens **ont** aussi une autre grande spécialité: le *caffè*. Là-bas, **on** en boit à toute heure du jour. Si **on** préfère un café un peu plus doux, on demande un *caffè lungo*. Si **on** désire goûter au café le plus courant, on choisit l'*espresso*. Du vrai bon café, ils en ont pour tous les goûts.

Les habitants des villes d'Italie **ont** du plaisir à recevoir et sont très chaleureux. Rien de tel qu'une escapade là-bas pour le vérifier.

Bon voyage!

Page 62 – Un code de symboles
Salut! Il est amusant de découvrir des messages codés à l'aide de symboles.
Pourquoi ne pas composer toi aussi un code de symboles différents? Un ami pourrait ensuite essayer de le déchiffrer.

Page 64 – Vivre à Madrid...
1. située, évaluée, appelés, exposées, admirées, développées, devenue; 2. grande, connu, beaux, économiques, importantes, industrielles, touristique.

Page 65 – Une ponctuation adéquate
1. «Enfin! Je peux te parler.
   — As-tu fait tes devoirs pour demain?
   — Oui. J'ai eu un peu de difficulté en français.
   — Combien de phrases as-tu composées?
   — Dix. Et toi?
   — Même chose. Est-ce que tu manges à la cafétéria demain?
   — Oh oui! il y aura de la pizza.
   — En es-tu certain? Je ne le savais pas. J'adore la pizza.
   — Je dois raccrocher. Mon père veut téléphoner.
   — D'accord. À demain.

Page 66 – Faire durer le plaisir
Bonjour Julie,
Quel beau voyage je vis! Je m'efforce que ce voyage soit une réussite. Depuis mon arrivée, j'ai participé à plusieurs activités. Hier, par exemle, j'ai dépensé dans les boutiques de mode de Paris. Pendant ma promenade, j'ai croisé un salon de coiffure et j'en ai profité pour m'offrir une coupe de cheveux... J'ai bien hâte de te rende visite et de te montrer ma nouvelle tête. En attendant, j'ai illustré ma coupe de cheveux pour te donner une idée. J'aimerais que tu me rendes un service: peux-tu demander l'adresse de nos amis et me les faire parvenir, j'ai malheureusement oublié mon carnet d'adresses! Et toi, à quoi t'occupes-tu ces temps-ci? Allez, je te donne trois grosses bises à la française!

Sois prudent.

Page 67 – À la découverte des mots
1. repas; 2. élève; 3. règle; 4. soupe; 5. poule; 6. seule; 7. pôles; 8. école; 9. canal; 10. foire; 11. canif; 12. loupe; 13. frite; 14. tarte; 15. filet; 16. éloge.

Page 69 – Des mots étrangers
1. e; 2. f; 3. g; 4. a; 5. j; 6. b; 7. d; 8. c; 9. i; 10. h.

Page 70 – Et si nous partions en voyage?
a) nous voyagions; b) je m'évaderai; c) ils iraient; d) tu as visité; e) nous avions quitté; f) nous regardions; g) visiter; h) nous avons exploré; i) je connaîtrais; j) conduisant.

Page 71 – Dialoguer avec les gens de la place
a) Elle a entendu Julien chuchoter: «C'est moi qui ai caché son livre.»
b) — Ça te dirait de venir au cinéma avec moi?
   — Oui, mais je dois d'abord demander à mes parents.
   — Rappelle-moi pour me donner ta réponse.
c) En entrant au bistrot, l'homme s'est exclamé: «Que la fête commence!»
d) — Combien coûte cette montre, monsieur?
   — À peine 300 euros, mon garçon.
   — Oh! c'est beaucoup trop pour moi. Merci.
   — Attends, j'ai un modèle semblable à moindre prix.
   — C'est bien gentil, mais je dois quitter. Bonne journée!
e) — Sais-tu ce que sa mère lui a répondu?
   — Non.
   — Elle lui a dit: «Si tu persistes à jurer ainsi, je te laverai la langue avec du savon.»
   — Vraiment? Tu crois qu'elle le ferait?
   — Non, mais elle était vraiment fâchée.

Page 73 – Des cavernes invitantes (*suite*)
1. j; 2. g; 3. f; 4. d; 5. a; 6. b; 7. l; 8. e; 9. k; 10. h; 11. c; 12. i.

Page 74 – Voyages à travers l'Europe
a) Genève; b) Florence; c) Bruxelles; d) Moscou; e) Paris; f) Londres; g) Athènes; h) Oslo.

Page 75 – Un pour tous!
a) garde; b) pare; c) porte; d) pince; e) nord; f) grand; g) couvre; h) au; i) passe; j) lave.

Page 76 – Une valise pleine de mots
Accident, agrumes, ascenseur, asphalte, astérisque, autobus, automne, avion, écrou, entracte, époux, escalier, habit, habitant, haltère, hémisphère, hôpital, incendie, oreiller, orteil.

Page 79 – Quel méli-mélo!
Merci d'avoir accompagné Gontran en Europe.

Page 81 – De magnifiques animaux d'Afrique
1. marchera; 2. allongera; 3. grimperont; 4. criera; 5. nagera; 6. galopera; 7. changeront; 8. éclaboussera; 9. feront; 10. traversera; 11. rugira; 12. barrira; 13. mangeront; 14. prélassera; 15. jappera.

Page 82 – La vie en Afrique
Pays africain: Kenya, Maroc, Tchad, Somalie, Namibie, Bénin, Mauritanie.
Habitant d'un pays africain: Nigérien, Tunisien, Libyen, Zambien.
Animal d'Afrique: zèbre, éléphant, mandrill, hippopotame, rhinocéros, serval, lion, crocodile.

Page 83 – As-tu un accent?
1. a) pôle, polaire; b) jeûner, déjeuner; c) grâce, gracieux.
2. a) aîné; b) fraîche; c) bateau; d) mât; e) crêpe; f) piqûre; g) égout; h) goût.

3. a) égoïste ; b) protéine ; c) ouie ; a) naïf ; e) épi de mais ;
f) canoë ; g) canif ; h) poème.
4. a) céleri ; b) crémerie ; c) poésie ; a) réglementaire ;
e) assèchement ; f) sécheresse ; g) nécessaire ;
h) bohème ; i) règlement ; j) sec.

Page 84 – Une famille africaine
1. adoucir ; 2. démolir ; 3. améliorer ; 4. échapper ;
5. approcher ; 6. arrêter ; 7. rapporter ; 8. déménager ;
9. commander ; 10. colorer ; 11. apprendre ; 12. connaître ;
13. accrocher ; 14. couler.

Page 85 – D'extravagantes charades
1. mari ; âge ; mariage. 2. gris ; fond ; nez ; griffonner. 3. ma ; nu ; facture ; manufacture. 4. four ; mi ; lit ; ère ; fourmilière.
5. champ ; bar ; dé ; chambarder.

Page 86 – Un voyage qui transforme
1. a) La jungle est parcourue par les éléphants.
b) La présence des étrangers est appréciée des Africains.
c) Les végétaux ne sont pas complètement digérés par les zèbres. d) Les baignades dans la boue sont appréciées par le buffle africain. e) Les touristes sont impressionnés par la jungle africaine.

Page 88 – La chaleureuse savane
1. indicatif ; infinitif ; infinitif. 2. indicatif ; participe.
3. indicatif ; indicatif ; indicatif ; indicatif ; infinitif.
4. participe ; indicatif ; indicatif ; indicatif ; indicatif.

Page 89 – Un monde caché
1. tu travaillais ; 2. tu connaissais ; 3. tu envoyais ;
4. tu changeais ; 5. tu contemplais ; 6. tu rendais ;
7. tu sortais ; 8. tu tordais ; 9. tu encerclais ; 10. tu soumettais ;
11. tu observais ; 12. tu nourrissais ; 13. tu ridiculisais ;
14. tu courais ; 15. tu recherchais ; 16. tu rédigeais ;
17. tu souriais ; 18. tu sifflais ; 19. tu plantais ; 20. tu tenais.
Message : Voyager est très enrichissant !

Page 90 – Tribus et attributs
1. a) lourds ; b) rythmée ; c) innateignables ;
d) calmes, turbulentes ; e) coûteuses, agréables.

Page 92 – On compte sur toi
a) Trois cents enfants sont invités à la fête.
b) Quatre-vingts pommes ont été cueillies.
c) Ce livre contient quatre cent quatre-vingt-deux pages.
d) L'enseignant a acheté quatre-vingt-dix crayons.
e) Cette salle peut accueillir deux cent vingt personnes.
f) Ce pont voit circuler mille cinq cents voitures par heure.
g) Nous vous livrerons trois cent quatre-vingt-deux planches.
h) Ce billet de vingt dollars est faux.
i) L'exposition compte deux cent vingt exposants.
j) La ville doit planter près de cinq cents arbres.

Page 95 – Une fête à l'africaine (*suite*)

Personnes présentes	Âge	Indice
Carl	11	Frère jumeau de Carlo, a un an (12 mois) de moins que Gontran.
Carlo	11	Frère jumeau de Carl, donc du même âge.
Lulu	9	Comme benjamine signifie plus jeune, elle a trois ans de moins que Gontran.
Gontran	12	Gontran est l'auteur de ce texte et il dit « dont moi qui ai 12 ans ».
Julie	8	Elle a le tiers de l'âge de Justin (frère de Samuel) : (24/3).
Justin	24	Il a deux fois (le double) l'âge de Gontran.
Karina	14	Elle et Gontran ont une différence de deux ans. Comme elle fréquente la polyvalent e et que Gontran est en 6e année, elle est la plus vieille des deux.
Mère de Gontran	34	En additionnant l'âge de Gontran, de Lulu et de Samuel.
Père de Gontran	34	Il a le même âge que la mère de Gontran.
Sally	13	Elle a un an de plus que Samuel.
Samuel	12	Il a le même âge que Gontran.

Page 96 - Promenade au Kenya
1. Le jeune Africain entendait-il dans la savane le bruit sourd du troupeau d'éléphants ? 2. L'autruche regardait-elle l'homme et la femme qui voulaient s'approcher ?
3. Les rhinocéros se fatiguaient-ils toujours d'être dans l'eau ? 4. Le véhicule contournait-il les trous de boue ?
5. Les touristes appréciaient-ils la chaleur accablante ?
6. Le crocrodile est-il un animal agréable ? 7. A-t-on toujours pris d'aussi belles photos que cette fois-là ? 8. Le chant de cet oiseau ressemblait-il à un chant connu ? 9. La route a-t-elle toujours été praticable à cet endroit ? 10. Les lions mangeaient-ils toujours leur proie au même endroit ?

Page 97 – Des mots cachés
Lumière.

Page 99 – Où est l'intrus ?
a) stationnement ; b) feuille ; c) manteau ; d) dépourvue ;
e) extincteur ; f) sous-sol ; g) fou ; h) pneu ; i) taxi ; j) couturier ;
k) yeux ; l) poteau.

Page 100 – Un genre à vérifier

Noms féminins	Noms masculins	Noms à double genre
ancre	occident	amour
apostrophe	agrumes	cartouche
armoire	ascenseur	couple
épice	autobus	espace
hélice	équinoxe	mémoire
moustiquaire	insigne	mode
omoplate	tentacule	pendule
orbite	ulcère	voile

Page 101 – Des mots et encore des mots
Noms : Afrique, Atlantique, bilan, boitier, cadrage, circonstance, intérêt, Karim, Kenya, Madagascar, manette, paperasse, travers, tunique.
Déterminants : du, mes, nos, quarante-sept, seize.
Adjectifs : espagnol, fourbu, opaque, optique, resplendissant.

Verbes : convaincre, frissonner, naître, quantifier, rebâtir, recouvrir.
Adverbes : près, tranquillement, très, trop, paisiblement.

Page 102 – À chacun son proverbe !
1. Mieux vaut tard que jamais. 2. Le jeu ne vaut pas la chandelle. 3. Une fois n'est pas coutume. 4. Qui dort dîne. 5. L'appétit vient en mangeant. 6. Les murs ont des oreilles. 7. La nuit porte conseil. 8. Loin des yeux, loin du cœur. 9. Pierre qui roule n'amasse pas mousse. 10. Il faut que jeunesse se passe. 11. Il n'est point de sot métier. 12. Tel père, tel fils.

Page 103 – Le jeu des différences
1. proposition ; 2. annulaire ; 3. pupille ; 4. assumer ; 5. spatiale ; 6. enduite ; 7. envisagent ; 8. perpétuer ; 9. vénéneux ; 10. prévisions ; 11. irruption ; 12. bribes ; 13. décerné ; 14. intention ; 15. infesté.

Page 106 – Un méli-mélo de mots
a) C'est l'après-midi qu'elle est **le** (DD) plus en forme.
b) Ces livres, tu dois **les** (PP) remettre dans deux semaines.
c) **La** (DD) vie est si courte, pourquoi **la** (PP) gaspiller à se chicaner.
d) Elle **le** (PP) lui a répété plusieurs fois, elle n'avait qu'à vérifier dans **le** (DD) dictionnaire.
e) Ces problèmes, **les** (DD) élèves n'arrivent pas à **les** (PP) comprendre.
f) Tous **les** (DD) jours, elle **le** (PP) conduit à son travail.
g) Le (DD) continent de l'Asie est superbe. Il vous faut à tout prix **le** (PP) visiter.
h) **La** (DD) rizière est remplie de gens qui récoltent **les** (PP) grains de riz afin de **les** (PP) vendre.

Page 107 – L'accent approprié

a	â	è	ê
cela	fâcher	règne	poêle
canot	mâcher	cortège	empêcher
	bâtiment	colère	forêt
	gâteau	mystère	fête
	château	manège	champêtre
		lèvre	
		crème	

i	î	o	ô
crise	dîner	cote	côte
chapitre	connaître	poteau	chômage
grise	chaîne	exposer	clôture

Page 108 – Que la fête commence !
1. ouvre ; 2. consiste ; 3. marque ; 4. sculptera ; 5. commémore ; 6. éclaireraient ; 7. associe ; 8. accueillent ; 9. sont appréciées ; 10. réunissent.

Page 109 – La vérité toute crue
1. faux ; 2. vrai ; 3. faux ; 4. vrai ; 5. vrai ; 6. vrai ; 7. faux ; 8. vrai ; 9. vrai ; 10. vrai ; 11. faux ; 12. faux.

Page 110 – En bref...
1. c ; 2. b ; 3. b ; 4. b ; 5. a ; 6. a ; 7. c ; 8. b ; 9. a ; 10. b ; 11. c ; 12. c ; 13. b ; 14. c ; 15. b.

Page 112 – Simple ou double ?
C : accueillir ; acrobatie ; occupation.
F : carafe ; efficacité ; profondeur.
L : allonger ; aluminium ; balancer ; bricolage ; chandelle ; collage ; consoler ; déballer ; douloureux ; emballer ; intelligent ; isolation.
M : amener ; amoniac ; bonhomme ; comédie ; commencer ; comérage ; déménager ; émission ; emmailloter ; imagination ; patiemment ; ramener.
N : abandonner ; animer ; annuaire ; connaître ; goudronner ; inutile ; manette ; lionne ; pharmacienne.
R : amerrir ; arachide ; courir ; décorer ; guerrier ; mourir ; nourrir ; terrasse ; territoire.
P : apercevoir ; apparaître ; apprentissage ; aprofondir ; crapuleux ; groupe ; opération ; rappeler.
S : pamplemousse.
T : attention ; atterrir ; attrister ; battre ; goûter ; habitude.

Page 113 – Le charme asiatique

Page 114 – Une enigme à résoudre
Sébastien offre des fleurs à Laurie.
Jacob offre un jeu d'échecs à France.
Boris offre un jeu de cartes à Camille.
Charles offre du chocolat à Johannie.
William offre un disque à Myriam.

Page 115 – Des mots à découvrir
1. j ; 2. a ; 3. e ; 4. c ; 5. d ; 6. i ; 7. h ; 8. f ; 9. b ; 10. a.

Page 116
1. Montréalais, Montréalaise ; 2. Cubain, Cubaine ; 3. Allemand, Allemande ; 4. Français, Française ; 5. Québécois, Québécoise ; 6. Chinois, Chinoise ; 7. Mexicain, Mexicaine ; 8. Belge, Belge ; 9. Roumain, Roumaine ; 10. Lavallois, Lavalloise ; 11. Américain, Américaine ; 12. Italien, Italienne ; 13. Japonais, Japonaise ; 14. Hollandais, Hollandaise ; 15. Turc, Turque ; 16. Parisien, Parisienne ; 17. Tibétain, Tibétaine ; 18. Marocain, Marocaine ; 19. Jamaïquain ou Jamaïcain, Jamaïquaine ou Jamaïcaine ; 20. Torontois, Torontoise.

Page 119 – Un voyage à l'autre bout du monde (*suite*)
1. Viêt-Nam ; 2. la baie d'Along ; 3. hospitaliers ; 4. spectacle de marionnettes sur l'eau ; 5. la plus belle bordée de cocotiers et baignée par une eau transparente aux reflets d'émeraude ; 6. Il y a beaucoup de légumes au menu et c'est tant mieux ! J'ai très hâte ! Superbe spectacle en perspective ! 7. mémorable ; malheur ; bâtiment ; 8. reflets ; sculptée ; monuments ; 10. du riz, une soupe tonkinoise, des poissons, du bœuf, poulet, etc.

Page 122 – Le temps présent

Indicatif présent : a) j'avertis ; b) tu brosses ; c) il cultive ; d) nous débattons ; e) vous embellisez ; f) ils frottent ; g) je goûte ; h) tu hais ; i) elle interrompt ; j) nous joignons ; k) vous klaxonnez ; l) elles louent ; m) je mets ; n) tu nais ; o) il offre ; p) nous perçons ; q) vous quittez ; r) ils refroidissent ; s) je sais. **Subjonctif présent** : a) que j'avertisse ; b) que tu brosses ; c) qu'il cultive ; d) que nous débattions ; e) que vous embellissiez ; f) qu'ils frottent ; g) que je goûte ; h) que tu haïsses ; i) qu'elle interrompe ; j) que nous joignions ; k) que vous klaxonniez ; l) qu'elles louent ; m) que je mette ; n) que tu naisses ; o) qu'il offre ; p) que nous percions ; q) que vous quittiez ; r) qu'ils refroidissent ; s) que je sache.

Page 123 – Un complexe simple

1. a) simple ; b) complexe ; c) simple ; d) complexe : e) simple.
2. a) Ils ont regardé un reportage dont le sujet était la Chine. b) Nous prenions des photos pendant que vous consultiez la carte de la région. c) Tu dois faire cuire le riz que tu as acheté ce matin. d) Quand le chat n'est pas là, les souris dansent, *ou* Les souris dansent quand le chat n'est pas là.

Page 125 – Des kangourous dans les jambes

L'Océanie : à découvrir absolument !

L'Océanie **comprend** la Micronésie, la Polynésie, la Mélanésie, la Nouvelle-Zélande et l'Australie. À part ces deux **derniers** pays, les **îles** du Pacifique sont pour la plupart minuscules en superficie. Un voyage dans **ces** eaux nous **prouve** que la grandeur du **territoire** n'a rien à voir avec la richesse des cultures et la **splendeur** des paysages.

L'Océanie regroupe des peuples aux **coutumes** encore **méconnues,** des gens qui parlent des langues **variées** et qui donnent l'impression de vivre à une autre époque. Toute personne qui raffole des plages chaudes sera **comblée** !

L'Australie est l'un des pays les plus **appréciés** par les touristes qui voyagent en Océanie. Plusieurs **attractions** touristiques sont proposées dans les nombreuses villes **australiennes.** Il ne faut surtout pas **manquer** *Kongaroo Island* (l'île aux Kangourous), où l'on peut observer une faune **abondante** : des **koalas,** des kangourous et des émeux (de grands oiseaux que l'on ne trouve qu'en Australie).

L'Océanie vous fascine ? Pourtant, il ne s'agit là que de quelques-unes des particularités de ce superbe **continent.** Je **pourrais** vous en parler encore des heures, mais il faut vous y **rendre** pour observer par vous-mêmes toutes les splendeurs de l'Océanie.

Page 127 – Des participes au passé

-ait	*-ert*	*-i*	*-is*	*-it*	*-u*
distrait	découvert	averti	assis	construit	aperçu
fait	offert	endormi	compris	cuit	attendu
satisfait	souffert	fini	dépris	détruit	conçu
soustrait		poli	mis	frit	convaincu
trait		poursuivi	promis		défendu
		rempli	repris		descendu
		réussi	surpris		fendu
		ri			revu
		souri			vu
		suivi			

Page 128 – Un continent qui a de la classe

1. a) pronom personnel ; b) nom commun ; c) nom commun.
2. a) verbe ; b) adjectif qualificatif ; c) nom commun ; d) déterminant possessif ; e) nom commun.
3. a) nom commun ; b) nom commun ; c) verbe ; d) adverbe ; e) adjectif qualificatif ; f) nom commun ; g) verbe.

Page 130 – Des accords à faire

1. Cette fenêtre s'est cassée à cause du violent orage d'hier.
2. La robe de ma mère est tachée sur la manche.
3. Les animaux de ce zoo sont bien traités.
4. Mon frère, l'aîné de la famille, a mangé trois petits gâteaux.
5. La tablette de ma bibliothèque s'est effondrée sous le poids des livres.
6. Des tulipes multicolores sont disposées autour de cette demeure.
7. La semaine dernière, mon chien s'est blessé avec son collier.
8. Son texte me semble bien présenté.
9. Le facteur a toujours livré le courrier le matin.
10. Le poil de ce chien est rasé très court.

Page 132 – Un mot secret

secrètes

Page 134 – Une image vaut mille mots

1. b ; 2. i ; 3. e ; 4. h ; 5. f ; 6. a ; 7. d ; 8. c ; 9. j ; 10. g.

Page 135 – Une journée très spéciale

Nom commun	Nom propre	Adjectif qualificatif	Verbe	Adverbe	Déterminant
spectacle	Gontran	australien	tient	aujourd'hui	du
siècle	Craig	soliste	seront	après	une
chanteur		rauque	amènera	quand	son
batteur		grava	arrête	souvent	un
rythme		génial	traitent	absolument	l'
chansons		originales		finalement	
amour		honorables		comme	

Page 136 – Qui ? Que ? Quoi ?

1. trouvé ; 2. dessinés ; 3. ramassés ; 4. observée ; 5. donnée ; 6. travaillé ; 7. servie ; 8. accueillis ; 9. achetées ; 10. reçues ; 11. visionnée ; 12. reçue ; 13. regardées ; 14. tenue ; 15. cassés.

Page 137 – Du singulier au pluriel

Des pneus ; des coraux ; des trous ; les feux ; les joujoux ; des chandails ; les carnavals ; des siestes ; des chacals ; des bleus ; les poteaux ; des émaux ; les festivals ; les bals ; les poux ; les chevaux ; les portails ; des hiboux ; des fous ; des baux ; des fanaux ; des sous ; des genoux.

Achevé d'imprimer au Canada en juin 2008
sur les presses de Quebecor World l'Éclaireur/St-Romuald

certifié

procédé
sans chlore

100 % post-
consommation

archives
permanentes

énergie
biogaz

Imprimé sur papier 100 % post-consommation, traité sans chlore,
accrédité Éco-Logo et fait à partir de biogaz.